ISSN 1413-652X

CADERNOS DE LITERATURA BRASILEIRA

INSTITUTO MOREIRA SALLES

CADERNOS DE

LITERATURA

BRASILEIRA

Diretor Editorial	Antonio Fernando De Franceschi
Editor Executivo	Rinaldo Gama
Ensaio Fotográfico	Edu Simões
Edição de Arte e Finalização	BEĨ Comunicação
Circulação	Edson Micael de Souza Santos

Colaboraram nesta edição:

Francisco Foot Hardman, Ignácio de Loyola Brandão, Jefferson Del Rios, Lygia Fagundes Telles, Maria Eugênia, Marilu Maranho Tassetto, Milton Hatoum (São Paulo); Antônio Torres, Bel Pedrosa, Francisco Correa Weffort, Rogério Reis (Rio de Janeiro); Neide Gondim, Rita do Perpétuo Socorro Barbosa de Oliveira (Manaus); Pedro Martinelli (Carapicuíba-SP); Telma Baeza Gonçalves Dias (Santo André-SP); Lúcia Sá (Stanford-Estados Unidos); Randal Johnson (Los Angeles-EUA).

Foto da capa: Edu Simões/IMS (Manaus, 2005)

Número 19 – Dezembro de 2005

CADERNOS DE LITERATURA BRASILEIRA
Uma publicação do Instituto Moreira Salles.

Edu Simões/IMS

A expressão amazonense

O NORTE APONTADO PELA OBRA DE MÚLTIPLAS FRENTES – DO ROMANCE AO ENSAIO, DO CINEMA AO TEATRO – DO MANAUARA MÁRCIO SOUZA

Floresta paginada

A tinta com que foi e é escrita a literatura tratada aqui escorre, muitas vezes, da pena da galhofa – mesmo quando exibe a cor da melancolia – de que se valeram Machado de Assis e Oswald de Andrade (este, sua influência decisiva). Mas tal produção, que se espalha por mais de 20 livros, entre romances, volumes de contos, de teatro e de ensaios, não tem por cenário o Rio de Janeiro ou São Paulo, cidades habitadas pelos personagens daqueles dois extraordinários autores. Com raros desvios, ela se desenrola na Amazônia brasileira, onde se enraíza 40% do que resta de floresta tropical no planeta. O resultado é uma teimosa resistência contra o "império da borracha" – porém não o do látex, que fez a região viver uma autêntica *belle époque*.

Borracharia

Naqueles dias, entre fins do século XIX e início do XX, quando notas de mil-réis acendiam charutos, as folhas mais exuberantes da Amazônia não eram as impressas. Eram outras. Verde-escuras, de suave contato, pulmões de uma bela árvore, a *Hevea brasiliensis*, fonte principal da extração do látex – que, solidificado, se transforma em borracha. Os botânicos não sabiam a função exata da seiva. Mas isso não tinha nenhuma importância, já que os comerciantes haviam descoberto uma utilidade menos botânica para o látex. Assim, por um período, ele foi ouro. Depois, virou pó.

A persistência da memória

Foi tudo muito rápido. A Amazônia, entretanto, tem traços mais fortes do que os de um ciclo econômico. Há 40 anos, um escritor empenha-se para que eles não sejam apagados por borrachas de naturezas e "interesses" diversos, vale dizer, para que a memória que reste não seja a do esquecimento. O autor de quem se fala é Márcio Souza, cuja proposta literária, de notável coerência, é tratada, espera-se, no presente número dos CADERNOS, o 19º, com o perfeito e justo equilíbrio de raciocínio que lhe é devido, para serviço dos leitores.

Biografia

A exemplo das demais edições deste periódico, a que se entrega ao público agora começa traçando uma cronologia do homenageado na seção "Memória seletiva". Nela se lê o percurso desse filho de um linotipista com uma dona de casa, nascido em 1946, na capital do Amazonas. Interessado inicialmente em seguir a carreira de cineasta e formar-se em sociologia, Márcio acabou por descobrir a vocação para a arte de escrever, nos mais diversos gêneros, que o tornou célebre no país e reconhecido em terras longínquas.

Os companheiros

Em "Confluências" estão reunidos depoimentos sobre Márcio Souza assinados pelos escritores Ignácio de Loyola Brandão e Antônio Torres, e pelo sociólogo e cientista político Francisco Weffort. Os dois primeiros tornaram-se amigos de Márcio graças a *Galvez, imperador do Acre*, livro que marcou a estréia do autor no gênero que o consagraria, o romance. Ambos o receberam no mesmo ano de lançamento, 1976, e desde logo perceberam que ali estava alguém do ramo. Daí à amizade foram poucas linhas. Já Weffort conheceu Márcio Souza nos anos de 1960: foi seu professor no curso de sociologia da Universidade de São Paulo – USP. Quando assumiu o Ministério da Cultura, no governo de Fernando Henrique Cardoso, em 1995, o sociólogo chamou o ex-aluno para ocupar a presidência da Fundação Nacional de Arte – Funarte. Juntos desenvolveram, nos oito anos seguintes, um trabalho consistente e em perfeita harmonia.

Prosa

Loquaz e bem-disposto, nosso protagonista enfrentou, sem o menor sinal de cansaço, mais de sete horas de conversa, na sede do Instituto Moreira Salles, na capital paulista, com Antonio Fernando De Franceschi e Rinaldo Gama, respectivamente diretor editorial e editor executivo destes CADERNOS. O resultado da maratona está na seção "Entrevista". Lá, Márcio responde a exatas 101 perguntas, entre as que foram elaboradas pela dupla de inquiridores e aquelas enviadas por um seletíssimo grupo de convidados: os ficcionistas Lygia Fagundes Telles, de São Paulo, e Milton Hatoum, manauara como o homenageado, todavia radicado em solo paulistano, e Neide Gondim, professora aposentada de teoria literária da Universidade Federal do Amazonas – Ufam, de Manaus. A pauta – não poderia ser diferente – foi multidisciplinar, como o próprio entrevistado. Discute-se na conversa tanto a construção da narrativa quanto política cultural, internet e a recusa dos Estados Unidos em seguir o Protocolo de Kyoto.

Cartões-postais

O ensaio fotográfico da seção "Geografia pessoal" traz 38 páginas que retratam a região que constitui o centro da escrita de Márcio Souza. As imagens do Amazonas, Acre, Amapá e Pará foram registradas pelo fotógrafo dos CADERNOS, Edu Simões, e as da ferrovia Madeira–Mamoré (RO) – mote do terceiro romance do autor, *Mad Maria* (1980) – levam a assinatura de Pedro Martinelli.

A caligrafia de *Galvez*

Em sua primeira versão, datada de 1968, *Galvez, imperador do Acre* consumiu um caderno de 300 folhas, tomado por uma caligrafia algo inclinada, desenhada com esferográficas comuns. Muito seria ainda alterado naquele original até que o romance tomasse a forma que correu o mundo. Daí o valor de tesouro daquele texto, cujas primeiras páginas os CADERNOS publicam na seção "Manuscritos".

Os especialistas

Quatro estudos procuram dar conta, na seção "Ensaios", da vastíssima obra de Márcio. Francisco Foot Hardman, professor-titular de teoria e história literária da Universidade de Campinas – Unicamp, traça um painel abrangente de toda a produção do autor. Randal Johnson, professor de literatura e cinema brasileiro na Universidade da Califórnia, em Los Angeles – UCLA, trata da contribuição de Márcio para o cinema, com um detalhe: considera que a mais importante se deu no romance *Operação Silêncio* (1979), ambientado na capital paulista, cujo personagem principal é um cineasta. Já o crítico Jefferson Del Rios faz uma análise geral do teatro do escritor – que se consagrou ainda como diretor, à frente do Tesc, grupo do Serviço Social do Comércio de Manaus –, enquanto Lúcia Sá, professora de literatura brasileira na Universidade de Stanford (EUA), se debruça especificamente sobre a peça *Dessana, Dessana* (1975).

Arquivo pessoal

Estes CADERNOS se completam com o "Guia", que, sem a pretensão de ser exaustivo, lista o que Márcio Souza produziu, as traduções de seus livros, as montagens dos textos teatrais, as adaptações de sua obra e o que se escreveu a respeito dela.

Cólofon

O protagonista desta edição continua ativo em sua cidade natal. Não comandou e nem comanda de lá o que se poderia chamar propriamente de uma revolução literária. Seu trabalho, no entanto, foi e é, antes de tudo, um norte, por assim dizer, para a expressão amazonense.

A ordem dos dias

1946 Nasce, a 4 de março, em Manaus, Márcio Gonçalves Bentes de Souza, primogênito do linotipista Jamacy Senna Bentes de Souza e de América Gonçalves de Souza. O casal teria mais dois filhos: Deocleciano (1947) e Amecy (1949).

1959 Escreve sobre cinema no jornal *O Trabalhista*, em que seu pai era operário gráfico.

1960 Conhece, em sua cidade natal, o filósofo e escritor francês Jean-Paul Sartre, apresentado pelo médico e intelectual Djalma Batista, pai de seu colega e futuro cineasta Djalma Limonge Batista; não sabia que se tratava de um dos maiores pensadores do século XX.

1964 Participa da fundação do cineclube Grupo de Estudos Cinematográficos do Amazonas.

1965 Trabalha como redator na Rádio Baré e escreve críticas de cinema em *O Jornal*. Realiza os curtas *Irreal* e *Rapsódia incoerente*, de caráter experimental, em que imagens são desenhadas diretamente na película. Torna-se coordenador das edições do governo amazonense. Ingressa na Faculdade de Ciências Sociais da Universidade de Brasília – que estava sendo esvaziada pelo regime militar –, abandonando-a em seguida para tentar vaga no mesmo curso da Universidade de São Paulo. Participa da VIII Bienal de Arte de São Paulo com outro curta-metragem experimental, *Prelúdio azul*.

1966 Começa a cursar ciências sociais na USP. Realiza os curtas *Manaus fantástica*, *Sentir a vida* e *Vale quanto pesa*. Colabora com a página literária da União Brasileira de Escritores (AM), publicada em *O Jornal*. De férias em Manaus, é detido devido à exibição

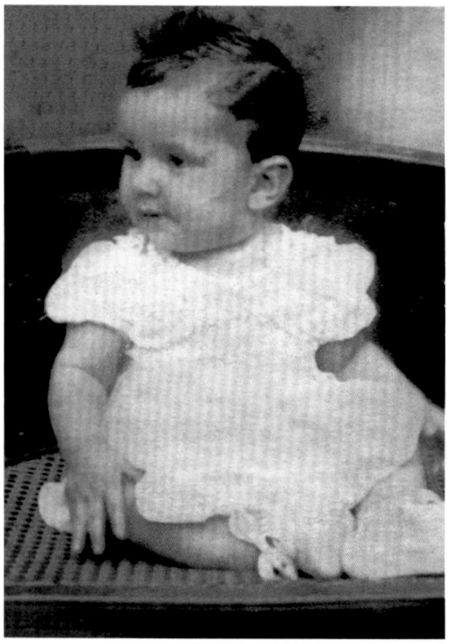

Márcio Gonçalves Bentes de Souza em uma de suas primeiras fotos, de 1946

O autor (à frente, à esq.), seus irmãos, Deocleciano e Amecy, e os pais (1954)

Exibindo um livro de Sartre, a quem conheceu em Manaus, no ano de 1960

NOTA DA REDAÇÃO: Todas as imagens aqui utilizadas integram a Coleção Márcio Souza – Museu Amazônico/Universidade Federal do Amazonas.

Ao lado de sua mãe, quando deixava a prisão por motivos políticos (SP, 1972)

de *A idade do ouro*, de Luis Buñuel, no cineclube do Grupo de Estudos Cinematográficos do Amazonas. Na platéia, estava um coronel do Exército à paisana, que denunciou o longa-metragem do cineasta espanhol como "um filme cubano subversivo" (a produção era francesa).

1967 Lança seu primeiro livro, *O mostrador de sombras*, de crítica cinematográfica, que sai pela editora Sérgio Cardoso/União Brasileira de Escritores – Amazonas.

1968 Termina a primeira versão do romance *Galvez, imperador do Acre*. Escreve a peça *Zona Franca, meu amor* (posteriormente intitulada *Tem piranha no pirarucu*). Trabalha como roteirista, assistente de produção e de direção da Servicine, sediada na Boca do Lixo, em São Paulo. Colabora com a revista *Senhor*, como free-lancer.

1969 Realiza o curta-metragem *Bárbaro e nosso*. Integra o júri do III Festival Nacional de Teatro, organizado por Paschoal Carlos Magno, no Rio. Fica detido por um mês no Departamento de Ordem Política e Social – Dops, em São Paulo, que buscava informações sobre Carlos Marighella, dirigente da organização esquerdista Ação Libertadora Nacional – ALN. Abandona o curso de ciências sociais.

1971 Assina o roteiro do curta *O país do futebol*, de Hector Babenco, e do longa *Luar do sertão*, de Oswaldo de Oliveira – encabeçado pela dupla caipira Tonico e Tinoco –, em que também atua como assistente de direção.

1972 Dirige o curta-metragem *Roadway, o porto de Manaus* e o longa-metragem *A selva*, este baseado no romance do português José Maria Ferreira de Castro. Também filma *Rio de sangue*; o longa não chega a ser finalizado. Viaja à França para palestra na Universidade Paris VIII – Vincennes – Saint-Denis. Passa três meses preso na sede do II Exército em São Paulo, após ser detido com mais 40 militantes do Partido Comunista do Brasil.

1973 *A selva* participa de festivais de cinema na França (Cannes e Paris), Rússia (Moscou) e Espanha (San Sebastián). Filma os curtas *A adolescente desaparecida* e *Manaus, porta do Eldorado*. Volta a residir em Manaus, onde estréia no Teatro Experimental do Serviço Social do Comércio – Tesc, dirigindo o espetáculo *Espinhos no coração*.

1974 Filma *O começo antes do começo*, documentário de curta-metragem sobre a criação do universo nos mitos dos índios desana. Tenta montar *Zona Franca, meu amor*, porém o texto é vetado pela Censura. Escreve e dirige *A paixão de Ajuricaba*, sua primeira peça encenada pelo Tesc.

1975 Ao lado de Stanley Whibbe, passa a dirigir o Tesc, cargo

Cena de *A selva* (1972), único longa-metragem dirigido e finalizado pelo escritor – *Rio de sangue*, da mesma época, não foi concluído –, que fez ainda 12 curtas

Na estrada de ferro Madeira–Mamoré, em Porto Velho, no ano de 1977; o ficcionista estudou a história da ferrovia para compor seu terceiro romance, *Mad Maria*, de 1980

que ocuparia até a extinção do grupo, em 1982. Escreve a peça infantil *A maravilhosa história do sapo Tarô-Bequê*, que estréia na Aldeia do Arcozelo – centro de artes cênicas idealizado por Paschoal Carlos Magno no município de Paty do Alferes (RJ) – encenada pelo Tesc. Divide, com Aldísio Filgueiras, a autoria de *Dessana, Dessana*, musicado por Adelson Santos e montado pelo Tesc. Cria ainda cenários e figurinos para o espetáculo. Nesse mesmo ano encenaria outro texto seu: *Jurupari, a guerra dos sexos*.

1976 Publica *Galvez, imperador do Acre*, editado pela Fundação Cultural do Amazonas. O livro ganha o prêmio "Revelação de autor" da Associação Paulista de Críticos de Arte de São Paulo. Lança a peça *As folias do látex*, encenada pelo Tesc. O espetáculo estréia em Manaus e tem apresentações no Rio de Janeiro, em São Paulo e em Brasília, dentro do Projeto Mambembão, do Serviço Nacional de Teatro, órgão do Ministério da Educação e Cultura. A peça também é montada em Caracas, sob patrocínio do Centro de Estudos Brasileiros da Embaixada do Brasil na Venezuela. Volta a escrever artigos para a revista *Senhor*. Assume o posto de diretor de Planejamento da Fundação Cultural do Amazonas, no qual permanece por nove meses.

1977 Passa a assinar uma coluna semanal na *Folha de S.Paulo*, que mantém até 1984. Escreve e encena, pelo Tesc, *O pequeno teatro da felicidade*. Participa, com "A caligrafia de Deus", da coletânea de contos *Malditos escritores* – organizada pelo ficcionista João Antônio –, ao lado de Antônio Torres, Chico Buarque, Marcos Rey, Plínio Marcos e outros; a coletânea foi publicada na revista *Extra*. Em função dela, o grupo de autores apresenta-se em diversas universidades brasileiras, fazendo leituras e debatendo com o público. Sai o ensaio *A expressão amazonense*. Vai a Porto Velho (RO) para pesquisar a história da ferrovia Madeira–Mamoré, que seria retratada no romance *Mad Maria*.

1978 Encena, com o Tesc, *Tem piranha no pirarucu*, enfim liberada pela Censura. A peça é apresentada em várias capitais brasileiras – Manaus, Belém, São Luís, Brasília, Rio e São Paulo – e em Campina Grande (PB). Participa

Junto a Luiz Inácio Lula da Silva, em São Paulo, num encontro preparatório do PT (1978); o autor participou da fundação do partido no Amazonas e no Acre

Tem piranha no pirarucu em montagem de 1978, após quatro anos de censura

Acompanhando José Bessa Freire e Marilza Fouché, sociólogos, e Consuelo Alfaro, lingüista, numa passeata em Paris contra a reforma do ensino na França (1980)

do livro *Feira brasileira de opinião* com a peça *Contatos amazônicos de terceiro grau*, montada nesse ano pelo Tesc.

1979 Escreve *O brasileiro voador*, roteiro sobre a vida de Santos Dumont, encomendado pela cineasta Tizuka Yamasaki, que não chega a filmá-lo. Encena *Jurupari* no Rio de Janeiro. Saem *Teatro indígena do Amazonas* (reunindo as peças "A paixão de Ajuricaba", "A maravilhosa história do sapo Tarô-Bequê" e "Jurupari, a guerra dos sexos"), *Operação Silêncio* (romance) e *As folias do látex/Tem piranha no pirarucu* (volume com os dois textos teatrais).

1980 Inicia, no mês de maio, a publicação, aos domingos, na *Folha de S.Paulo*, do folhetim *A resistível ascensão do Boto Tucuxi*, que se estenderia até março do ano seguinte. Lança o romance *Mad Maria*. Viaja aos Estados Unidos, onde faz conferências nas universidades de Colúmbia, Duke, Harvard e Nova York. Apresenta-se no Center for Interamerican Relations (NY) e no Festival Harbour Front, em Toronto, Canadá. Participa do programa "Artista-residente" da MacDowell Colony, em New Hampshire (EUA). Depõe perante o Tribunal Bertrand Russell, em Roterdã, Holanda, sobre a condição do índio no Brasil. Sua peça *O elogio da preguiça*, escrita nesse ano, é montada no Tesc, sob direção de Gerson Albano. É traduzido pela primeira vez: Thomas Colchie verte para a língua inglesa *Galvez, imperador do Acre* (*The Emperor of the Amazon*; Nova York: Avon Books). Assina a ata de fundação do Partido dos Trabalhadores (PT) – que ajudou a organizar no Amazonas e no Acre –, ao qual continua filiado.

1981 Participa, em Havana, como jurado de literatura, do prêmio Casa de Las Américas. Realiza leituras nas cidades de Madri, Barcelona, Sevilha, Valência e Alicante para acompanhar o lançamento de *Mad Maria* na Espanha.

1982 Torna-se sócio da editora Marco Zero – que passa a publicar seus livros –, sediada no Rio de Janeiro até 1986, quando é transferida para São Paulo. O folhetim *A resistível ascensão do Boto Tucuxi* sai em livro, revisto e ampliado; o texto também ganha adaptação para o palco (o espetáculo, dirigido por Márcio Aurélio, é encenado no Teatro Amazonas, em Manaus; a montagem serve de pretexto para o fechamento do Tesc, por pressões políticas). Participa, em Berlim, do Festival Horizontes, promovido pelo Senado alemão, com o tema "América Latina".

1983 Sai *A ordem do dia*, romance. Faz conferências nas univer-

Márcio, Teo Ferrer de Mesquita, editor, Ray-Güde Mertin, tradutora, e Peter Weidhass, diretor da Feira do Livro de Frankfurt, durante o evento alemão (1984)

sidades de Lisboa e Porto, em Portugal. Passa a residir no Rio de Janeiro.

1984 Lança o romance *A condolência* e o ensaio *O palco verde*, este sobre sua experiência com o Tesc. Participa de seminário na Universidade de Heidelberg e da Feira do Livro de Frankfurt, na Alemanha.

1985 Faz conferência na Universidade Livre de Berlim.

1986 O roteiro *O brasileiro voador* é publicado em forma de romance. Realiza leitura no Hall Internacional da Feira do Livro de Frankfurt, Alemanha. Participa do projeto "Encontro marcado", promovido pela IBM, fazendo palestras em diversas cidades brasileiras.

1987 Escreve *Ação entre amigos*, peça montada por Paulo Betti, no Teatro Ipanema, Rio de Janeiro. Faz leituras e conferências em universidades e bibliotecas públicas em Colônia, Berlim, Frankfurt e Bielefeld, na Alemanha.

1988 Profere palestras nas bibliotecas públicas de Frankfurt, Colônia e Bielefeld, na Alemanha.

1990 Participa de seminário na Universidade de Hamburgo, Alemanha. Lança o romance *O fim do Terceiro Mundo* e o ensaio biográfico *O empate contra Chico Mendes*.

1991 Assume a direção do Departamento Nacional do Livro, da Fundação Biblioteca Nacional, cargo em que permaneceria até 1994. Viaja à Bulgária onde participa do Encontro Internacional de Literatura de Sófia.

1992 Ministra seminário em Belém, no Núcleo de Altos Estudos Amazônicos.

1993 Dá aulas para o doutorado da Pontifícia Universidade Católica do Rio de Janeiro – PUC/RJ.

1994 Passa seis meses nos Estados Unidos trabalhando como professor-adjunto do Departamento de Espanhol e Português da Universidade de Berkeley. Faz palestras nas universidades norte-americanas de Dubuque e Stanford e nas alemãs Erfurt e Nuremberg, além de apresentar-se no Centro de Estudos Brasileiros de Roma. São publicados *A caligrafia de Deus* (contos) e *Breve história da Amazônia* (ensaio).

1995 É convidado pelo ministro da Cultura, Francisco Weffort – seu ex-professor na USP –, para a presidência da Fundação Nacional de Arte – Funarte, cargo que ocuparia durante os oito anos de Fernando Henrique Cardoso como presidente da República. Profere palestra na Feira do Livro de Bolonha, Itália.

1996 Lança, em parceria com o fotógrafo José de Paula Macha-

Com Ignácio de Loyola, Lygia F. Telles e João Ubaldo, na Alemanha, em 1987

No bairro judeu de Praga, cidade em que fez leituras de suas obras, em 1997

do, o livro de fotografias *Anavilhanas.* Participa de seminários nas universidades de Haifa e Tecnion, em Israel.

1997 Viaja a Praga para leitura no Festival Internacional de Escritores. Publica *Teatro* (em três volumes) e o romance *Lealdade,* primeiro livro da tetralogia *Crônicas do Grão-Pará e Rio Negro.* Dá um depoimento para o longa-metragem *O cineasta da selva*, de Aurélio Michiles, o qual retrata a vida do português Silvino Santos, que fotografou e filmou a Amazônia do início do século XX.

1998 Participa da série "O escritor por ele mesmo", do Instituto Moreira Salles, para a qual grava leituras de trechos de suas obras; apresenta-se no centro cultural paulistano da instituição. Novamente em parceria com José de Paula Machado, lança outro livro de fotos: *Parque Nacional do Jaú.* Dirige *Alma*, de Cláudio Santoro, apresentada no III Festival Amazonas de Ópera. Estréia em Paris a versão em francês de *A paixão de Ajuricaba,* encenada pelo grupo Comédiens du Théâtre de l'Opprimé. Faz leituras e debates nas feiras do livro de Buenos Aires, Bogotá e Paris. Realiza conferência na Universidade Sorbonne, na capital francesa. Apresenta-se no seminário *A outra margem do Ocidente*, da Funarte, no Rio de Janeiro, em São Paulo, Curitiba, Salvador e Goiânia. Organiza, ao lado de Francisco Weffort, a coletânea *Um olhar sobre a cultura brasileira*, para a qual escreveu o artigo "Teatro, circo e ópera?".

1999 Sai o volume ensaístico *Silvino Santos, o cineasta do ciclo da borracha*. Dá depoimento para o documentário *O povo brasileiro*, de Isa Grispun Ferraz. Faz leituras na universidade de La Rochelle (França) e também nas de Tecnion e Caracas (nesta cidade, participa ainda da Feira do Livro e, em Paris, de um seminário do Banco Mundial). Convidado para a Mostra de Cinema Brasileiro em Tel Aviv, Jerusalém e Haifa, integra a comissão bilateral para renovação do acordo para a área da cultura entre o governo israelense e o do Brasil. Volta a apresentar-se na série "O escritor por ele mesmo", agora no IMS de Belo Horizonte. Desvincula-se da editora Marco Zero.

2000 Escreve e dirige o curta-metragem *Funarte – A história de uma experiência*. Publica os livros de ensaios *Fascínio e repulsa* e *Entre Moisés e Macunaíma*, este assinado com Moacyr

Ao lado do maestro Walter Atanazi, dirigindo um ensaio de *Alma*, de Cláudio Santoro, para apresentação no III Festival Amazonas de Ópera, em Manaus (1998)

No Darmouth College (EUA), junto ao antropólogo Roberto DaMatta, em 2000

Scliar. Realiza palestras nas universidades norte-americanas de Berkeley, Smith College e Darmouth College.

2001 Com o selo da Record, do Rio de Janeiro – que passa a editar sua obra ficcional e a relançar os títulos já esgotados –, sai *Desordem*, segundo volume da tetralogia *Crônicas do Grão-Pará e Rio Negro*. Assina os textos de novo livro de fotos de José de Paula Machado, *Pico da Neblina*. Participa do Encontro de Brazilianistas, na Universidade Federal Fluminense – UFF. Faz leituras nas cidades francesas de Marselha, Aix-en-Provence, Ciotat e Nice e apresenta-se na exposição sobre o Brasil nas galerias Lafayette, em Paris. Realiza palestra sobre a Amazônia no Sesc Pompéia, em São Paulo. Dá aulas na Universidade de Stanford e vai à solenidade de inauguração da cátedra "Mário de Andrade" na Universidade de Berkeley, nos EUA. Faz palestra na Feira Pan-amazônica do Livro, em Belém. Participa novamente da série "O escritor por ele mesmo", desta vez no IMS do Rio de Janeiro.

2002 Retorna a Sófia, onde apresenta conferência no Colóquio de Filologia Portuguesa. Profere palestra na Bienal Internacional do Livro de São Paulo e na Feira do Livro de Ribeirão Preto (SP).

2003 Reativa o Tesc, do qual volta a ser diretor. Monta, com o grupo, *A paixão de Ajuricaba*. Realiza oficina de texto no Centro de Artes da Universidade Federal do Amazonas, em Manaus. Faz palestra na Bienal Internacional do Livro do Rio de Janeiro. Participa de seminário sobre direitos autorais e propriedade intelectual, no Instituto Nacional de Pesquisas da Amazônia – Inpa, realizado em sua cidade.

2004 Apresenta-se outra vez na série "O escritor por ele mesmo" agora no IMS de Poços de Caldas, em Minas Gerais. Realiza leitura no "Circuito cultural", do Banco do Brasil, em Manaus. No Tesc, monta seu espetáculo de esquetes *Sábados detonados*; também traduz e dirige *Hamlet*, de William Shakespeare, e *Marx na Zona*, do norte-americano Howard Zinn.

2005 Mad Maria é adaptado para minissérie de televisão por Benedito Ruy Barbosa e vai ao ar pela Rede Globo, com direção de Ricardo Waddington. Publica o terceiro livro da tetralogia *Crônicas do Grão-Pará e Rio Negro*, intitulado *Revolta*. Realiza nova montagem de *Dessana, Dessana*, no Tesc.

Cena do musical *Dessana, Dessana*, em montagem do Tesc de Manaus (2005); o grupo, extinto em 1982, foi reativado em 2003 e voltou a ser dirigido por Márcio Souza

Lealdade

Onde Ignácio de Loyola Brandão, Antônio Torres e Francisco Weffort recordam como se tornaram fiéis leitores e amigos do criador de *Galvez*

Edu Simões/IMS

O escritor e jornalista Ignácio de Loyola Brandão nasceu em Araraquara (SP), no ano de 1936. Em 1957 transferiu-se para a capital paulista, onde se empregou como repórter no diário Última Hora. *A estréia em livro ocorreria em 1965, com* Depois do sol *(São Paulo: Brasiliense), uma coletânea de contos. O primeiro romance,* Bebel que a cidade comeu, *sairia três anos mais tarde pela mesma editora. O seguinte,* Zero, *foi publicado em 1974 na Itália – pela Feltrinelli, de Milão – antes de sair no Brasil. Lançado aqui em 1975, com o selo da carioca Brasília/Rio, o livro seria proibido pela censura no ano de 1976. A liberação só veio em 1979. Entre 1982 e 1983, Loyola passou 16 meses na Alemanha, a convite da Deutscher Akademischer Austauschdienst (Daad). No ano de 1996, submeteu-se a uma delicada cirurgia, devido a um aneurisma cerebral; a experiência daria corpo ao volume* Veia bailarina *(São Paulo: Global, 1997). Em 2001 foi tema do 11º número dos* CADERNOS. *Além dos títulos citados, destacam-se ainda em sua produção os romances* Dentes ao sol *(Rio de Janeiro: Editora Brasília/Rio, 1976),* Não verás país nenhum *(Rio de Janeiro: Codecri, 1981) e* O anônimo célebre *(São Paulo: Global, 2002).*

"Eu trabalhava na revista *Planeta* nos anos 70, quando, um dia, um pacotinho me chegou às mãos entre as dezenas de cartas, livros etc. que recebia como editor. Minha curiosidade me faz mergulhar logo na correspondência, era (e ainda é) uma maneira de me aquecer de manhã, tomar contato com pessoas que querem falar comigo, pedir algo, oferecer. Um dos pacotinhos, com carimbo de Manaus, continha um livrinho de bolso, de capa preta com título em vermelho: *Galvez, imperador do Acre*, por Márcio Souza. Edição artesanal que não me entusiasmou, mesmo porque jamais tinha ouvido falar em Márcio, devia ser outro jovem querendo publicidade do livrinho 'provinciano'. No entanto, não havia nenhuma carta, bilhete, pedido, nada. De qualquer forma, caso se encaixasse em *Planeta*, uma revista diferenciada, e tivesse qualidades, eu publicaria algo a respeito. Coisa que nunca deixei de fazer foi ler, ou tentar ler, ou começar a leitura das coisas que me enviam. Vim do interior e sei o que significa isolamento, quase abandono.

O livrinho ficou lá, demorei três dias para, num momento de desfastio depois do almoço, apanhá-lo e dar uma olhada. Comecei:

> Esta é uma história de aventuras onde o herói, no fim, morre na cama, de velhice. E quanto ao estilo o leitor há de dizer que finalmente o Amazonas chegou em 1922. Não importa, não se faz mais histórias de aventuras como antigamente. Em 1922 do gregoriano calendário, o Amazonas ainda sublimava o latifoliado parnasianismo que deu dores de cabeça a uma palmeira de Euclides da Cunha. Agora estamos fartos de aventuras exóticas e mesmo de adjetivos clássicos e é possível dizer que foi o último aventureiro exótico da planície. Um aventureiro que assistiu às notas de mil-réis acenderem os charutos e confirmou de cabeça o que a lenda requentou. Depois dele: o turismo multinacional.

Naquele dia o expediente terminou para mim. Cancelei uma reunião de pauta, disse à recepcionista que não atenderia ninguém; Paula, a minha secretária, desviou todos os telefonemas. No final do dia faltava pouco para terminar de ler, levei para casa, jantei e acabei, exclamando: 'Que filho-da-puta este Márcio! Quem é, foi, será?'.

Reli o romance e o passei a um primo que trabalhava comigo, o Zezé Brandão, hoje diretor de arte da agência Lage & Magy. Naquele dia, perdi meu colaborador, tudo o que Zezé quis fazer foi ler o livro e terminá-lo. Reconhecemos, Zezé e eu, que estávamos diante de uma coisa nova na literatura brasileira, excitante, envolvente. Única. Toda a minha literatura amazônica, até então, se resumia ao clássico *A selva* [do português José Maria Ferreira de Castro, que viveu no Brasil e trabalhou num seringal na Amazônia], o qual, aliás, eu achava chato. De repente, aquele *Galvez*, espécie de realismo fantástico da floresta, me assombrava, era divertido, bem-humorado, mordaz, crítico, adorável. Tempos depois, achei que o *Fitzcarraldo*, o filme de Werner Herzog, devia muito a *Galvez*, muito mesmo. Mas quem era Márcio, o que fazia? Havia um endereço no papel do pacote e escrevi para o autor pedindo: 'Mande mais livros, quero distribuir, mande notícias'.

Assim começou uma amizade, uma descoberta. Márcio me enviou dez exemplares, que distribuí entre amigos e pessoas que podiam divulgar. *Galvez* não podia ficar escondido. Um foi para o Wladyr Nader, que mantinha a revista *Escrita*; outro para Geraldo Galvão Ferraz, que escrevia para *O Estado de S. Paulo*. Ricardo Ramos, um verdadeiro *promoter* cultural – além de belo escritor – recebeu o dele. *Galvez* seguiu para Porto Alegre, para o Moacyr Scliar, com o pedido: 'Esparrame'. Levei ao Pedro Herz, da livraria Cultura e perguntei: 'Acha que dá para vender aqui?'. Pedro olhou aquela brochura quase miserável, folheou e, com o faro de livreiro, leu uma página, duas, continuou. Uma semana depois comunicou: 'Como fazemos para tentar trazer esse livrinho feio mas fascinante?'. Era realmente uma primeira edição primária, não ia fazer vista na vitrine nem na gôndola redonda que existia na entrada da livraria. Acontece que o livro não veio, havia a burocracia oficial – o romance fora editado pelo governo amazonense – e para ser vendido eram necessárias notas, licitações, concorrências e outras besteiras que emperram a cultura no Brasil.

De qualquer modo, naqueles primeiros tempos de vida, a aventura louca, insana, deslumbrante de *Galvez* emocionou cerca de 20 pessoas. Era um livro comentado, discutido, falado em grupos fechados, como as manhãs de sábado na Cultura, regadas a chope da lanchonete Gel (estranho nome) e empadas, coxinhas, pastéis. Foi numa daquelas manhãs que entreguei um exemplar ao Marcos Rey, que ficou emocionado: 'As lindas surpresas deste Brasil', comentou. Dessa maneira, por um período, *Galvez, imperador do Acre* se tornou um livro cult, ainda que oculto, consagrado por uma pequena confraria que sempre se perguntava: 'Como será esse Márcio?'.

Essa é parte da história. Mais tarde, todos sabem, *Galvez* estourou, todos ficamos sabendo quem era e como era Márcio. Romancista, teatrólogo, jornalista, cineasta. Seus livros e peças teatrais vinham: *As folias do látex, Operação Silêncio, Mad Maria, A ordem do dia.* Não vou ficar citando, veja a bibliografia. Tornamo-nos amigos, viajamos muito pelo mundo, mas houve um momento especial. Uma viagem à Alemanha, com João Ubaldo Ribeiro e Lygia Fagundes Telles, nos anos 80. A América Latina estava em moda, havia interesse por ela – e perdemos esse bonde da história –, íamos de universidade em universidade, conduzidos pela brava, leal e batalhadora Ray-Güde Mertin, uma ponta de lança dos brasileiros, tradutora, agente. Um dia será preciso escrever o que devemos a Ray, em cuja casa em Bad-Hamburg existia um porão maravilhoso com algumas camas e foi por nós denominado o 'porão dos escritores'. Porão? Era um recanto delicioso, numa verdadeira mansão em Freidrichstrasse. Hoje, ali funciona a agência de Ray que, entre outros, representa José Saramago.

Íamos de trem de um lado para o outro e, em cada sessão, vinha uma pergunta inevitável, feita por estudantes politizados: 'Qual é a identidade da América Latina?'. E nos esforçávamos por tentar definir, dar uma cara a esse encontro desigual de países e povos. Lembre-se de que somos romancistas, não ensaístas. Somos inventores. Márcio, porém, que tinha passado pela faculdade de sociologia, era sempre o eleito para responder. E procurava fazer isso da melhor forma possível, claro. Até um dia em que, na cidade de Colônia, foi salvo por João Ubaldo quando um estudante se levantou e fez a pergunta que nos saturava. 'Deixem comigo', disse o escritor baiano. Calados, vimos quando ele enfiou a mão no bolso, retirou a cédula de identidade plastificada, o nosso popular RG, e mostrou ao público: 'Querem a identidade? Aqui está ela'. Os brasileiros presentes – eram muitos – riram, os alemães ficaram sem entender. Dali em diante, tínhamos a resposta pronta – e ela foi dada em mais uns cinco encontros. ”

Rogério Reis/Tyba

Nascido na cidade de Sátiro Dias (BA) em 1940, o escritor Antônio Torres foi repórter do Jornal da Bahia *entre 1959 e 1960, quando começou a trabalhar como escriturário em um banco. Transferido para São Paulo em 1961, voltou a atuar na imprensa, dessa vez no diário* Última Hora. *No ano de 1963, ingressou na publicidade – primeiro na própria capital paulista, depois em Portugal e, de regresso ao Brasil, no Rio. Estreou como romancista com* Um cão uivando para a lua *(Rio de Janeiro: Gernasa, 1972). Quatro anos mais tarde, lançaria seu romance de maior repercussão:* Essa terra *(São Paulo: Ática). No mesmo gênero publicou, entre outros,* Carta ao bispo *(São Paulo: Ática, 1979),* Balada da infância perdida *(Rio de Janeiro: Nova Fronteira, 1986),* Um táxi para Viena d'Áustria *(São Paulo: Companhia das Letras, 1991),* Meu querido canibal *(Rio de Janeiro: Record, 2000) e* O nobre seqüestrador *(Rio de Janeiro: Record, 2003).*

"Emprestar livros é mesmo um problema. Você corre o risco de nunca tê-los de volta. E pior: de não conseguir se lembrar para quem os emprestou. Inclui-se nesse caso a primeira edição de *Galvez, imperador do Acre,* publicada em Manaus, num volumezinho que cabia no bolso, em papel-jornal e cheio de erros tipográficos. Ainda assim, o leitor aqui não o trocaria por nenhuma outra de suas muitas edições, digamos, profissionais, que passaram a ser distribuídas no Brasil e *around the world.* Vista num retrospecto da trajetória do *Galvez* e de seu autor, aquela ediçãozinha tão mal-acabada seria uma relíquia, pelo menos para o descuidado emprestador de livros que vos escreve, e que, se a tivesse mantido a sete chaves em sua estante, agora não precisaria dar voltas à cabeça para se lembrar quando foi mesmo que conheceu Márcio Souza.

Com toda certeza não foi num dia muito distante do firmado no rodapé da dedicatória de outra obra, *As folias do látex:* 8 de outubro de 1976. Ou teria sido naquela mesma data? Bom, esse livro, contendo o texto de uma peça teatral classificada na capa como vaudeville, pode ter chegado pelo correio, num tempo em que escritores de tudo quanto era canto deste país adentravam as portas do Sul Maravilha dentro de um envelope. Ainda bem que o *Folias do látex* não teve um destino igual ao do *Galvez.* Graças a isso posso reler agora as linhas que Márcio escreveu em toda a folha de rosto desse seu outro livro, nas quais consignava uma espécie de ideário, assumindo-se como perseguidor 'de um pedaço de nossa identidade perdida', e essa determinação não o fazia se sentir 'isolado na província', pois reconhecia o mesmo impulso em muitos dos seus pares. Márcio Souza estava entrando em cena consciente de pertencer a uma geração que tinha um projeto. O que hoje parece fora das modas. E essa é outra história.

Foi o estrondoso sucesso de *Galvez, imperador do Acre* que tirou Márcio do seu isolamento amazônico. Conheci-o antes disso acontecer, por artes de um convite para uma feira de livros em Manaus, e uma palestra num teatro de lá. Fui recebido no aeroporto por uma amável senhora chamada Socorro Santiago, diretora do Departamento de Cultura da Secretaria Municipal de Educação. Assim que entramos no seu carro, ela propôs me levar, antes do hotel, à Fundação Cultural do Amazonas, para que eu conhecesse o escritor amazonense que havia me indicado para os dois eventos de que ia participar. Não. Até aquele momento eu ainda não tinha ouvido falar de Márcio Souza.

Recordo-o sentado a uma mesa cheia de gavetas, numa sala igual a tantas outras de qualquer repartição pública. Ao vê-lo pela primeira vez, atentei para os seus óculos que me pareceram desproporcionais ao seu rosto magro. Tanto quanto para o fato de ser mais novo do que eu, que já chegara aos 36 anos. Ele estava na casa dos 30, redondos. Depois dos cumprimentos iniciais, ele voltou a sentar-se, puxando uma gaveta e tirando dela um exemplar do seu *Galvez, imperador do Acre,* naquela ediçãozinha um tanto artesanal. Escreveu a dedicatória e me passou o livro. O primeiro encontro não foi muito além disso.

Na noite daquele primeiro dia, ele me pegou no hotel e me levou para assistir a um ensaio no Teatro do Sesc, do qual era o diretor. Terminados os trabalhos, convocou o elenco para um colóquio em torno do tema 'o melhor lugar para levar o nosso visitante'. Decidiu-se por um restaurante à beira de um igarapé e cercado de floresta, fora da cidade. Quando chegamos lá, a casa estava fechada. Mesmo assim, todos desceram dos carros. E ficamos um tempão ali conversando baixinho, de pé, em reverência ao mundo do silêncio e aos milhões de estrelas que o iluminavam. 'Manaus fica tão longe de tudo, a começar pelas cidades do próprio estado, que chega a parecer que não faz parte do Ocidente', ele me disse. E contou de suas viagens pelo Amazonas adentro, levando o seu teatro de cidade em cidade, nas quais só se chegava pelos rios, em dias e dias de navegação. E também falou de Oswald de Andrade, um de seus santos de cabeceira.

Na volta ao hotel, comecei a ler o *Galvez,* para chamar o sono. E o perdi de vez. Quando me dei conta, já estava no ponto final, a pensar: 'Que insólito é esse Márcio. Ele tem uma cara séria de sacristão, mas é um pícaro'.

Na manhã seguinte, ao encarar uma câmara de TV no saguão do hotel, declarei: 'Não é a mim que vocês têm que entrevistar'. E mostrei o *Galvez,* anunciando publicamente o que tinha a dizer ao Márcio Souza em particular, e que aqui pode ser resumido numa palavra: bravo! Reencontramo-nos várias vezes, naquela oportunidade, como se já nos conhecêssemos desde sempre.

E assim começava uma amizade que atravessaria os tempos. Aquela conversa iluminada por milhões de estrelas continuaria aqui no Rio de Janeiro e em longas viagens à Bulgária e a Portugal. E em encontros na Feira de Frankfurt e no Salão do Livro de Paris. Onde estás agora, Márcio? Na tua Manaus ou em Berkeley?”

Bel Pedrosa

Paulista de Quatá, onde nasceu em 1937, Francisco Correa Weffort formou-se em ciências sociais e doutorou-se em ciência política na Universidade de São Paulo. Professor-titular aposentado do Departamento de Ciência Política daquela instituição, foi ministro da Cultura no governo de Fernando Henrique Cardoso (1995-2003). Publicou América Latina: ensayos de interpretación sociológico-política *(Santiago: Editorial Universitaria, 1970), livro que assina ao lado de FHC,* O populismo na política brasileira *(Rio de Janeiro: Paz e Terra, 1978),* O que é deputado *(São Paulo: Brasiliense, 1987),* Qual democracia *(São Paulo: Companhia das Letras, 1992),* Um olhar sobre a cultura brasileira *(Brasília: Ministério da Cultura, 1998), volume organizado com Márcio Souza, e* A cultura e as revoluções da modernização *(Rio de Janeiro: Fundação Nacional de Arte – Funarte, 2000), entre outras obras.*

"Conheci Márcio Souza, que foi meu aluno no curso de ciências sociais da Universidade de São Paulo, muito antes de haver tomado conhecimento da existência do autor de *Galvez, imperador do Acre*. Assim como, às vezes, ocorre de você não ligar o nome à pessoa, no caso eu não ligava o nome do meu ex-aluno ao autor da obra. O romance, que li com prazer, é um dos cem livros mais importantes da literatura brasileira no século XX, segundo uma avaliação de estudiosos e pesquisadores. Que o Márcio era bom aluno eu sabia. Só o que eu não sabia era que aquele jovem magricela e narigudo, às vezes um pouco agitado, que eu conheci na Faculdade de Filosofia da rua Maria Antonia, era o começo de um grande escritor.

Depois de algum tempo, a veia bem-humorada de Márcio reapareceu na *Folha de S.Paulo* com as histórias do Boto Tucuxi. A página do jornal era para comentários políticos, mas o que ali aparecia semanalmente eram estranhas histórias sobre um bicho-peixe da Amazônia que rondava as beiradas dos rios e igarapés emprenhando mocinhas. No meio dessas evocações lendárias, surgiam histórias que aludiam a famigerado político da região, numa mistura que oferecia espaço bastante para uma crítica da política populista que só um bom estudioso da sociologia seria capaz de fazer. Nessa combinação de lenda e sociologia, foi que eu me dei conta de que o grande escritor e o jovem estudante eram a mesma pessoa.

Há cerca de dez anos, quando, a convite de Fernando Henrique Cardoso, assumi o Ministério da Cultura, convidei Márcio para a presidência da Funarte. Já havíamos tido contatos alguns anos antes disso, nos tempos de resistência ao regime militar e de construção da democracia, uma dessas épocas em que o entusiasmo dos intelectuais pela política se sobrepõe ao amor às aulas, aos livros e à pesquisa. Se a passagem do intelectual para as funções políticas nem sempre é fácil, para as funções administrativas é muito mais difícil. Pois a verdade é que me surpreendeu o desempenho administrativo de Márcio como presidente de uma fundação pública destinada a fomentar as artes. E isso, evidentemente, com poucos recursos... O que exigia dele uma enorme capacidade de concentração e esforço.

Eu me lembro de que, nesses anos de trabalho no Ministério, a alegria do romancista Márcio Souza estava em falar de projetos administrativos cujo valor só verdadeiros intelectuais podem perceber. Márcio e eu organizamos juntos a edição de alguns livros. Mas o que mais me chamava a atenção nessas edições era que ele, um autor com grande êxito de público e com livros traduzidos em vários idiomas, me falava com prazer de textos que estariam destinados a uns poucos leitores, isto é, se viéssemos a romper todas as dificuldades típicas da administração. É certo que Márcio continuava o escritor de sempre, trabalhando numa tetralogia sobre o Grão-Pará. Sua alegria maior, porém, estava nos momentos em que conseguia recursos para uma obra esquecida de algum outro autor. Por exemplo, quando conseguiu algum apoio para reunir a produção de Plínio Marcos. Ou quando publicou, em inglês, algumas peças de Nelson Rodrigues. Ou quando conseguiu recursos para a pesquisa que estabeleceu as partituras originais de *O guarani*, de Carlos Gomes. Até a gestão de Márcio na Funarte, as partituras d'*O guarani* que se podia usar eram exclusivas de uma editora italiana, a Riccordi, à qual devíamos recorrer a cada encenação da ópera. Há em nossa convivência daqueles anos muitos exemplos desse tipo que pareceriam pequenos agora, depois que *Mad Maria* 'chegou às massas' pela TV.

É também dos nossos tempos de Ministério a publicação, pela editora Garamond, do livro de Márcio Souza e Moacyr Scliar *Entre Moisés e Macunaíma – Os judeus que descobriram o Brasil*. É uma reflexão de dois escritores sobre suas raízes judaicas e sobre a 'descoberta' do Brasil pelos judeus. Aqui, como diz Márcio, o grande perigo 'não é exatamente o anti-semitismo, mas a assimilação'. De Moacyr eu já havia lido uma outra obra sobre o tema. Quanto a Márcio, foi uma surpresa. Sendo seu amigo há tanto tempo, eu simplesmente não sabia que ele era judeu! Talvez o maior perigo da 'assimilação' seja a perda da memória das origens. Márcio sabia, evidentemente, que era descendente de judeus, mas não tenho muita certeza de que soubesse que ele próprio era judeu. Quero dizer, não sabia inteiramente, de plena consciência, nessa concordância com o próprio ser que é o sentido essencial dessa viagem às origens que ele narra no livro. Pois bem, Márcio é um brasileiro, judeu de origem sefardita, e, como se isso não bastasse, plenamente amazonense. Digamos que juntar na cabeça todas essas qualidades pode levar algum tempo. Uma experiência humana que seu livro com Scliar revela de maneira comovente.

No momento em que escrevo estas notas, Márcio está trabalhando numa história da Amazônia, em um projeto apoiado pelas secretarias de Cultura do Pará e do Amazonas, e vinculado ao Instituto de Estudos Políticos e Sociais (Iepes), no Rio de Janeiro, onde eu me encontro atualmente. Uma vez mais, nas voltas que o mundo dá, nos reencontramos. E eu, seu leitor de sempre, me debruço agora sobre seus relatos preliminares com o mesmo entusiasmo de minha primeira leitura das aventuras de *Galvez*. ”

Fotos: Edu Simões/IMS

Ofício de escritor

Aos 13 dias do mês de maio de 2005, na cidade de São Paulo, capital do estado de mesmo nome, o brasileiro Márcio Gonçalves Bentes de Souza, manauara, de profissão escritor, concedeu a Antonio Fernando De Franceschi e a Rinaldo Gama, respectivamente diretor editorial e editor executivo destes CADERNOS, a entrevista que vem impressa a seguir, entre as fls. 24 e 49, realizada das 10h30 às 18 horas – com breve intervalo, de cerca de 60 minutos, ocorrido a partir das 13h, destinado a uma refeição –, na sede do Instituto Moreira Salles, mais exatamente no estúdio mantido naquela entidade, onde foi gravada, em sistema digital. Figuraram como temas da conversa a formação artística do depoente, inclusive a análise das influências que recebeu nos âmbitos cinematográfico, literário etc., o início de sua carreira, na função de crítico de filmes e depois cineasta, a incursão pelo teatro, a experiência com jovens atores, orientados não apenas quanto a aspectos referentes ao palco mas também no que diz respeito a um exercício pleno da cidadania, a descoberta da vocação para ficcionista, as técnicas de construção da narrativa e de personagens, o conflito arte versus política, a busca do público leitor, a reflexão histórica, o espaço da subjetividade nos seus romances, contos e textos dramáticos, a rotina criativa, o trabalho na administração pública, a internet, o debate em torno da Amazônia, a situação dos indígenas e o futuro da literatura nacional, temas estes trazidos à tona ao longo de 101 perguntas, formuladas pela dupla de inquiridores e por três convidados, Lygia Fagundes Telles e Milton Hatoum, autores, e Neide Gondim, professora aposentada de letras da Universidade Federal do Amazonas, que enviaram questões escritas, apresentadas durante a sessão. E, para constar, releram os editores supracitados o que aqui se publica, pelo que atestam e dão fé.

Cadernos de Literatura Brasileira: O sr. começou sua carreira nas artes dedicando-se ao cinema – como crítico e realizador. Qual a razão disso? Naquele momento, o sr. já se voltava para a literatura ou, de fato, o seu interesse original era a arte cinematográfica?

Márcio Souza: Realmente, o meu projeto original era ser diretor de cinema. Sempre tive a maior paixão por essa arte, sempre fui fã de cinema, daqueles de ir ver todos os filmes mesmo. Para situar melhor o que digo, precisamos entender como era Manaus na época da minha adolescência. Era uma cidade pequena, tinha pouco mais de 100 mil habitantes. O grande contato com o restante do mundo se dava por meio do cinema. O cinema é que nos transportava para outra realidade, que nos permitia fugir daquela realidade fechada de uma pequena capital, que tinha sido rica no passado, quando era de fato uma cidade internacional. E é claro que estamos falando de um período, fins dos anos 50, início da década de 60, em que o cinema exercia um fascínio muito grande para todas as gerações – um fenômeno que naturalmente não se restringia a Manaus. Eu sonhava, então, fazer cinema. Na verdade, eu não distinguia muito bem o que era ser espectador e o que era ser diretor. No começo eu queria ver muito filme, queria escrever sobre isso e precocemente acabei tendo uma coluna num jornal em que meu pai era gráfico, *O Trabalhista*, ligado ao Partido Trabalhista Brasileiro. O jornal, como era típico naquele tempo, principalmente fora do eixo Rio–São Paulo, misturava imprensa com política; na realidade, ainda existe essa confusão. Bem, eu tinha essa coluna, que não era propriamente de crítica; eram crônicas, impressões, afinal de contas eu era um adolescente, estava com 13, 14 anos de idade.

Cadernos: Como se deu a sua formação no âmbito do cinema?

Márcio Souza: Nunca tive formação específica em cinema. Não fiz um curso sequer, nada. Quando eu escrevia n'*O Trabalhista* estava completando o segundo grau em Manaus. Quando terminei, em 1964, tinha pretensões de estudar na Universidade de Brasília – mas queria me formar no campo das ciências sociais, em sociologia ou antropologia.

Cadernos: Nunca lhe ocorreu cursar uma faculdade de cinema?

Márcio Souza: Não. Eu achei que era muito mais importante para um diretor de cinema ter instrumental para conhecer a realidade brasileira do que dominar técnicas etc. O curso de cinema da Escola de Comunicações e Artes da Universidade de São Paulo só foi criado quando eu estava na metade do meu primeiro ano de USP. Um colega meu, de Manaus, Djalma Limonge Batista, que é diretor, abandonou o curso de ciências sociais e foi para a ECA. Eu achei que não era a melhor opção. Tinha planos de ir para a UnB e fui para Brasília em 1965. A universidade lá não tinha vestibular; eu me inscrevi direto no curso de sociologia. Não foram nem dois meses de aula. Numa semana a polícia militar de Goiânia invadia a universidade; na semana seguinte era a PM de Minas Gerais. A biblioteca era invadida, tiravam a gente da sala de aula. Até que, finalmente, os 300 professores pediram demissão. Então, não dava para continuar. Por isso vim para São Paulo, fazer o mesmo curso na USP.

Cadernos: Considerando o acesso extraordinário de Manaus ao que de melhor se produzia no cinema entre as décadas de 1950 e 1960, qual era o seu "cânone" naquele período? E que realizadores se juntariam a ele depois?

Márcio Souza: É uma coisa espantosa como o Brasil mudou do ponto de vista de distribuição e de oferta cultural. Manaus, apesar de estar lá no Norte, isolada pela selva, pobre, contava com uma programação maravilhosa de teatro, muito tempo depois do auge do ciclo da borracha. Eu tive a oportunidade de ver, por exemplo, *Boca de Ouro* [peça de Nelson Rodrigues, datada de 1960]. Eu não tinha nem idade para ver esse tipo de espetáculo, mas furava a vigilância dos porteiros e entrava. Em cinema, você contava com o melhor do mundo todo, dos Estados Unidos aos países europeus, passando por filmes orientais – japoneses, chineses, indianos. Você via tudo lá em Manaus. Eu vi toda a *nouvelle vague* francesa na minha cidade. Vi [François] Truffaut, [Luis] Buñuel. No cineclube do Grupo de Estudos Cinematográficos do Amazonas, do qual participei da fundação, víamos tanto *A noite* (1960), de [Michelangelo] Antonioni, quanto *A greve* (1924), do [Serguei] Einsenstein. Era o máximo. Olhando para trás, vejo que a cidade não era tão pobre quanto imaginávamos. Acho que hoje, apesar de ser a quinta cidade do Brasil, do ponto de vista de orçamento municipal, uma capital com quase 2 milhões de habitantes, Manaus empobreceu em alguns aspectos. A programação de cinema não é mais a mesma, apesar de termos muito mais salas. Claro que temos agora um festival de ópera, cinco orquestras, cantores líricos, enfim – de um lado, nós ganhamos, mas de outro, perdemos. Eu me lembro, por exemplo, de que a Livraria Escolar, no centro da cidade, tinha um setor dedicado só a revistas. Eu comprava lá até os *Cahiers du Cinéma.* Quando vim morar em São Paulo, senti falta da movimentação que havia em Manaus em torno do cinema. Aí descobri que existia a Sociedade Amigos da Cinemateca, que funcionava ainda ali na Sete de Abril. Então, me associei e assistia aos filmes.

CADERNOS: O entendimento de que era mais importante estudar sociologia do que entrar num curso específico dedicado à arte cinematográfica vinha do próprio cinema que se fazia no país naquele momento?

Márcio Souza: Sem dúvida. Aliás, para um jovem brasileiro dos anos 1960, querer fazer cinema tinha o mesmo peso de pretender ser poeta na época da abolição da escravatura.

CADERNOS: A propósito, seu personagem Paulo Conti, do romance *Operação Silêncio* (1979), diz isso.

Márcio Souza: Provavelmente vem daí a minha percepção.

CADERNOS: Foi um período muito politizado.

Márcio Souza: Exatamente. Mas é preciso lembrar que mesmo um certo cinema europeu nos falava muito de perto naquela época. Havia a memória das atrocidades da Segunda Guerra, o antiautoritarismo do cinema tcheco, do polonês. Eles atacavam o nazismo, mas era possível, claro, transportar o que eles tinham sofrido, ou estavam sofrendo – como no caso dos países do Leste Europeu –, para o cenário brasileiro, em que vigia a ditadura militar.

CADERNOS: O próprio cinema americano era politizado.

Márcio Souza: Também. O cinema americano era outro naquele tempo. Atendia mais aos adultos, não era esse cinema de tecnologia, passatempo, meio videogame, voltado para jovens.

CADERNOS: Iniciando-se tão cedo no jornalismo, o sr., em algum momento, pensou em se dedicar a essa carreira? A propósito, seu trabalho no jornal foi sempre de crítica ou o sr. chegou a atuar como redator, repórter?

Márcio Souza: Não, eu sempre fui colaborador na área de crítica de cinema. Depois que *O Trabalhista* foi empastelado pela ditadura militar e fechou as portas, fui convidado a escrever para *O Jornal*, que era o melhor periódico da cidade. N'*O Trabalhista* eu ganhava para escrever, mas era uma coisa simbólica. N'*O Jornal* eles me pagavam com permuta – eu podia, por exemplo, pedir passagens aéreas. Minhas primeiras viagens aos Estados Unidos e à Europa foram feitas graças a esse trabalho.

CADERNOS: O início da carreira como crítico, vale dizer, no plano da teoria, para alguém que acabaria se dedicando com maior intensidade à ficção, traz à tona um debate sobre o diálogo entre essas duas esferas: a da reflexão e a da criação propriamente dita. Alguns dos maiores escritores brasileiros, como Clarice Lispector e Carlos Drummond de Andrade, nunca se dedicaram à teoria da literatura. Como o sr. vê essa questão? E por que acredita que haja uma falta de vinculação mais freqüente dos criadores brasileiros à crítica e ao ensaio literário?

Márcio Souza: A explicação mais imediata que me ocorre é o caráter recente da academia no Brasil. O [T. S.] Eliot e outros grandes poetas e teóricos – como Paul Valéry, por exemplo – estavam mergulhados numa longa tradição acadêmica. No nosso caso, temos de reconhecer que tudo é muito novo, não é? Por mais que um autor, por assim dizer, anfíbio, crítico e criador, não seja formalmente ligado à universidade, o fato de viver num país onde a tradição acadêmica já conte, muitas vezes, com séculos de existência, provoca um diálogo. Eu acho que a primeira explicação é essa. Muitos campos se ressentem pelo fato de a nossa academia estar agora, pela primeira vez, atravessando alguns problemas de crescimento que foram típicos dos Estados Unidos do século XIX – quando na Europa isso aconteceu no século XVIII.

CADERNOS: Isso explicaria talvez por que alguns críticos de extração acadêmica estejam fazendo atualmente o caminho inverso, quer dizer, venham se dedicando à ficção?

Márcio Souza: Exato. Eu acredito até que parte dessa caminhada represente uma libertação, uma depuração para o trabalho do crítico.

CADERNOS: Tudo isso ajudaria a explicar também por que a crítica brasileira acaba não atentando muito para a produção mais recente? E por que as novas gerações de ficcionistas, por sua vez, mantenham, em certa medida, o divórcio em relação à atividade crítica?

Márcio Souza: Sim. Eu acho que tem a ver com isso e também com o desenvolvimento econômico e cultural do país, com o desenvolvimento da própria indústria do livro. De qualquer forma, eu considero a crítica literária muito cautelosa e conservadora no Brasil. E, como sabemos, mudou muito o papel do jornal nesse sentido. Os nossos cadernos de cultura, os nossos suplementos de livros não existem para responder ao desenvolvimento da indústria editorial, como nos Estados Unidos. Não é que a indústria editorial vá lá e diga o que deva ser feito, mas os veículos são uma resposta à existência de uma pujança no mercado de livros. Aí, quando sai um novo romance de um grande autor, eles não ousam dar para um recém-formado em letras a incumbência da crítica – chamam alguém de peso. Aqui, os suplementos existem porque o dono do jornal exige, ou porque um editor se empenha para isso. É diferente.

CADERNOS: Afinal, como teve início a sua aproximação com a literatura?

Márcio Souza: Foi com o cinema, mais uma vez. Para poder vir estudar em São Paulo, eu juntei um pouco de dinheiro. O meu pai não tinha condições de me sustentar aqui com mesadas. Comprei passagem, vim, passei no vestibular – e tinha recursos para sobreviver somente por alguns meses. Ou seja, eu precisava arrumar depressa um trabalho. Fiz, então, várias coisas, até que encontrei o "emprego ideal": escrever roteiros. Eu trabalhava para a Servicine, uma produtora da Boca do Lixo, do Alfredo Palácios e do Antônio Pólo Galante. Os dois eram empresários mesmo, não dependiam de governo; nunca receberam um centavo da Embrafilme. Sendo empresários, produziam para ter retorno de bilheteria. Eles tinham muito faro para o negócio, eram experientes. Eu aprendi a ser escritor na Servicine. Aprendi com eles. Às vezes tinha de fazer quatro roteiros por mês e a dupla ficava em cima. Eles compravam os direitos de um romance, por exemplo, e nós tínhamos de transformar o livro em roteiro. Éramos todos funcionários, recebíamos por mês. Era tudo muito profissional. E eles nos tratavam muito bem.

CADERNOS: Como o sr. chegou à Servicine?

Márcio Souza: Quem me apresentou para o Palácios e o Galante foi Antônio Lima, jornalista e crítico de cinema da *Folha de S.Paulo*.

CADERNOS: Os dois empresários orientavam o seu trabalho, corrigiam?

Márcio Souza: Exatamente. Diziam: "Olha, tem de mexer aqui porque não é possível uma cavalgada de 30 cangaceiros; nós não vamos ter produção para isso. Não dá para tocar fogo na cidade. Vamos tocar fogo em umas tendas de pano. Muda isso, muda aquilo. Não pese muito no drama, precisamos terminar de um modo mais leve". Mas a dupla era bastante aberta. Eu cheguei a adaptar *Na selva das cidades*, do [Bertolt] Brecht, para o cangaço, por exemplo. Eles nunca filmaram, mas aceitavam que se fizesse esse tipo de experiência.

CADERNOS: E esses roteiros ainda estão em seu poder?

Márcio Souza: Não. Eu deixei tudo isso lá.

CADERNOS: Falando ainda sobre esse período em que o sr. viveu na capital paulista, chama a atenção que o seu trabalho aqui tenha se voltado para um cinema comercial, quando até aquele momento o seu interesse maior era por um cinema de arte. Como foi o processo de aceitação dessa mudança, provocada principalmente pela necessidade de sobreviver em São Paulo?

Márcio Souza: No começo eu fiquei, digamos, apreensivo em ter de aceitar esse tipo de trabalho. O que me ajudou muito foi o temperamento dos meus patrões. Eles eram pessoas sem nenhuma arrogância; eram simples. O Galante sequer lia os textos, quem lia era o Palácios. Ele lia em voz alta para o sócio. O Galante era dono de uma intuição enorme e nunca impunha os seus pontos de vista. Percebi logo que tinha muito a aprender com a dupla. Aquilo me quebrou muitos mitos – e não só cinematográficos, literários também.

CADERNOS: O sr. diria que essa experiência de escrever pensando no público, na necessidade de se comunicar com o brasileiro menos sofisticado, isso, de alguma forma, ia ao encontro de suas aspirações acadêmicas, dada a sua disposição em vir para a capital paulista a fim de estudar ciências sociais, de modo a compreender melhor o país?

Márcio Souza: Eu dizia naquela época que o cinema para mim era uma forma de romper o silêncio que havia entre o Brasil e a Amazônia. O cinema, afinal, era comunicação de massa. Eis aí a razão, digamos, política, do meu interesse pelo cinema. E a passagem pela literatura, como falei, iria se dar justamente por intermédio do cinema. Quando fiz *A selva* [em 1972, baseado no romance homônimo de Ferreira de Castro], percebi que de fato eu gostava mais de escrever do que de passar pela intensa carga emocional e de trabalho das quatro, cinco semanas de filmagem.

CADERNOS: Quando dirigiu *A selva*, o sr. não tinha pronta a versão final do romance *Galvez, imperador do Acre* (1976)?

Márcio Souza: Não. Eu tinha um roteiro. Tentei produzir o *Galvez*, mas claro que o Palácios e o Galante me sugeriram não filmar. Disseram que gostavam da história, mas que eu não tinha experiência para fazer aquilo. E era verdade. Ninguém ia pôr um dinheiro grande para produzir um filme daqueles. "Espere; faça outros filmes – depois você propõe esse", me aconselharam. Eu cheguei a conversar com a Paramount. Eles queriam comprar os direitos, mas me tirando fora do projeto – então não aceitei.

CADERNOS: Foi então que o sr. começou a perceber que o cinema não era a sua melhor forma de expressão?

Márcio Souza: Exatamente. *A selva* me serviu até para despertar em relação à Amazônia. Quando eu estava montando o filme, descobri que não entendia nada da região.

CADERNOS: Ou seja, o sr. descobre a Amazônia, num sentido mais crítico, a partir de São Paulo?

Márcio Souza: Isso mesmo. Eu tinha pensado em fazer filmes mais informados socialmente e, na verdade, com *A selva* descobri que não sabia nada, que não fazia diferença o fato de eu ter nascido em Manaus. Do que eu sabia, poderia ter nascido em Porto Alegre, em São Paulo.

CADERNOS: De novo, portanto, é o cinema que o faz descobrir algo fundamental?

Márcio Souza: Sim, exatamente. Minha volta, então, acabou tendo a ver também com essa necessidade de conhecer a Amazônia. Mas, do ponto de vista prático, eu voltei para Manaus porque não tinha mais ambiente aqui. Vivia sendo parado nas barreiras policiais. Como o meu nome constava das listas negras porque eu já havia sido preso, estava sendo processado, eu era um problema para os meus colegas de trabalho. Às vezes, a gente ficava horas na barreira. E isso começou a me dar nos nervos; você já saía nas ruas apreensivo, imagine. Fiquei sem condições aqui. Meu pai me disse: "Volta para cá, pelo menos aqui você estará seguro". Voltei. No início, fiquei sem emprego, depois comecei a trabalhar numa agência de publicidade.

CADERNOS: De que maneira o sr. foi deixando o cinema e se aproximando da literatura? O sr. chegou a São Paulo com uma grande bagagem cinematográfica, mas como era a literária?

Márcio Souza: De certo modo, foi uma vantagem que a televisão só tenha chegado a Manaus em 1969. A minha foi uma geração de leitores e de cinéfilos. E no caso de literatura acontecia uma coisa engraçada comigo. Eu, na adolescência, era muito metódico (aliás, continuo sendo). Então, numa época eu decidia ler literatura de língua inglesa; sentava e lia tudo: [Henry] Fielding, [Bernard] Shaw, Charles Dickens. Shakespeare eu já tinha lido na infância, na biblioteca da minha avó – em francês, a primeira língua que dominei. A geração da minha avó era a do francês; tenho até hoje uma antologia, toda anotada por ela, de poetas franceses. Então, como eu dizia, de repente cismava de ler os russos – e lia tudo. Houve um tempo em que eu e os meus amigos disputávamos: quem tinha lido mais Kafka, por exemplo. O meu grupo era bastante interessado em literatura, em cinema, em música clássica. E nós tínhamos uma boa influência na imprensa local.

CADERNOS: Que autores, então, passariam a "angustiá-lo" – se é que o sr. considera assim – com a sua influência?

Márcio Souza: Bem, eu logo fiquei fascinado por Shakespeare. Depois me impressionei com [Fiódor] Dostoiévski – foi quando li *Crime e castigo* [1866], depois eu li *Os irmãos Karamazov* [1879]; em seguida conheci [Leon] Tolstoi; *Ana Karenina* [1877], que para mim é o maior romance já escrito. Machado, claro, eu li na escola. Primeiro, achei chatíssimo. Depois fui mudando de opinião. Outro autor que me marcou muito nessa fase foi o [Jean-Paul] Sartre. Aliás, eu o conheci pessoalmente em Manaus, a ele e à sua mulher, Simone de Beauvoir. Eu era menino, adolescente, e entre meus amigos estava o Djalma Limonge Batista. Numa tarde, quando eu saía do cinema, encontrei o Djalma na porta, ele e o Gualter, seu irmão mais velho, que era meu colega de classe. Iam para o consultório do pai – o médico Djalma Batista, um intelectual, autor de vários livros – e me ofereceram uma carona. Aceitei. Era pertíssimo, mas fui só pela companhia. O dr. Djalma tinha o consultório num sobrado antigo, bem no centro de Manaus; só que ele não gostava que a gente subisse até lá. Era preciso avisar que tínhamos chegado e ficar esperando por ele na calçada. Pois bem, naquele dia, como sempre, ficamos aguardando o médico descer. Mas estava lá também um casal sentado no meio-fio esperando por ele: um senhor suando muito e uma mulher com um turbante na cabeça. Quando o dr. Djalma desceu, os dois se levantaram e, pedindo desculpas, começaram a falar, em francês, que tinham antecipado o regresso para a França, de maneira que não iam mais poder fazer a conferência na

Academia Amazonense. O dr. Djalma disse que compreendia etc. e quis nos apresentar para o casal. Virou-se para os filhos e para mim: "Esse é o grande filósofo Jean-Paul Sartre e sua mulher, a escritora Simone de Beauvoir". Cumprimentamos os dois e continuamos a conversar. Depois que eles foram embora, levamos a maior bronca do dr. Djalma, porque não tínhamos dado a devida atenção ao casal. Quando descobri *O muro* [volume de contos de Sartre, lançado em 1939], fui confirmar com o médico se era o mesmo o senhor que eu conhecera na calçada do seu consultório. Levei outra advertência: "Está vendo? Por que não foi mais atento?". De fato. Mas eu era um garoto, um adolescente.

CADERNOS: De volta à sua sistematização de leituras.

Márcio Souza: Sim, como eu dizia, nós líamos muito. Cultivávamos o prazer da leitura. Manaus contava com uma boa biblioteca pública e aquele era um lugar que eu tinha aprendido a freqüentar desde muito criança. Eu me lembro de que quando era menino, aos sábados, meu pai me deixava, junto com os meus irmãos, na biblioteca, enquanto ele ia trabalhar na Imprensa Oficial. Não sei direito por que a gente não ficava em casa, talvez minha mãe quisesse fazer limpeza e era melhor não ter crianças por perto – não sei. O fato é que passávamos horas lendo na biblioteca enquanto nosso pai trabalhava. Na adolescência, eu e o meu grupo chegávamos a influenciar o que o dono da Livraria Acadêmica, que existe até hoje, ia encomendar. Foi por insistência nossa que ele mandou vir *Lolita* [1955], de Vladimir Nabokov. A biblioteca da minha escola também era ótima. Com tudo isso, nós líamos o tempo todo. O livro era importante até por prestígio social; era preciso conhecer as obras para conversar, comentar. Quer dizer, tinha também esse lado de "pressão social".

CADERNOS: Quando e de que maneira se organizaram os seus estudos sobre a história e a teoria do teatro?

Márcio Souza: Eles começaram no mesmo momento em que me debrucei sobre a Amazônia. Eu fui rodar *A selva* e descobri o Teatro Experimental do Sesc–Tesc. O grupo estava apresentando *O marinheiro* [1913], de Fernando Pessoa. Lembro que fiquei bem impressionado. Quando voltei a morar em Manaus, eles me convidaram para dirigir um espetáculo lá, um show de música e poesia chamado *Espinhos no coração*. Eu já gostava muito de teatro, ia sempre assistir aos espetáculos quando morava em São Paulo – do Oficina, por exemplo, eu vi todas as peças; no caso de *O rei da vela* [1937], que estreou em 1967, estava em todas as apresentações, tinha uma cadeira cativa.

CADERNOS: Na verdade, o sr. era também leitor de teatro – disse há pouco que leu Shakespeare muito cedo.

Márcio Souza: Exatamente. Quando vi *O rei da vela* já conhecia o teatro do Oswald de Andrade: tinha lido, por exemplo, *O homem e o cavalo* [1934].

CADERNOS: A propósito, a descoberta de Oswald é um divisor de águas na sua carreira, pois define um modo de tratar o texto.

Márcio Souza: É verdade. Aliás, Oswald era aparentado meu, éramos primos do mesmo ramo, lá do Baixo Amazonas. Meu bisavô era primo do Inglês de Sousa, irmão da mãe do Oswald.

CADERNOS: Pode-se dizer que a sua dedicação ao teatro, quando regressou a Manaus, veio também em decorrência do fato de que o sr. chegara à conclusão de que o cinema era uma arte de produção cara, portanto, alguém na sua situação teria muitas dificuldades em levantar recursos para um filme?

Márcio Souza: Não, não houve essa conotação, digamos, prática. A minha experiência com *A selva* mostrou que, apesar de todo o conhecimento "livresco" que eu tinha de cinema, isso não fazia, não faz um cineasta. Eu percebi as dificuldades de dominar as linguagens cinematográficas e pôr isso a serviço da narrativa do filme. *A selva* tem uma linguagem absolutamente inadequada para o tema, uma coisa que eu não percebi quando fiz. É um filme sobre a crise na economia do látex, e a crise de um personagem, que é um exilado político que vai para o interior da Amazônia – um exilado político de direita que acaba se virando para a esquerda. Eu esqueci tudo isso em favor de uma estética meio *nouvelle vague*, com tomadas longuíssimas; era como se o protagonista fosse um personagem francês, morto de tédio. Aquilo significava a minha falta de domínio do meio "cinema" – e eu não senti isso em relação ao teatro.

CADERNOS: Havia, como já foi dito aqui, o problema da repressão. Na medida em que o processo se intensificou, algumas formas artísticas se revelaram mais eficazes, por assim dizer – caso da música popular. Considerando o cinema, o teatro e a literatura, que são as três dimensões importantes do seu processo criativo, há uma hierarquia, do ponto de vista da "eficácia ideológica"?

Márcio Souza: Quando eu vim para São Paulo tinha a ilusão de que o cinema poderia ser mais eficiente. Depois descobri que não – na verdade, você influencia muito pouco em qualquer campo. Hoje acho que temos de ser mais modestos nessa perspectiva. Por isso mesmo, eu me orgulho muito, no caso do teatro, de termos tido, no âmbito da cidade de Manaus, algumas influências decisivas. Foi com a atuação do grupo do Tesc que, por exemplo, se levantou pela primeira vez a questão da preservação, não apenas do meio ambiente, mas da paisagem histórica da capital do Amazonas. Foi também com o Tesc que se levantou a questão dos índios. Nesse plano, aliás, conseguimos até uma intervenção mais profunda, com a encenação do espetáculo *Dessana, Dessana*, em 1975, um musical sobre a criação do universo, conforme o mito dos desanas.

CADERNOS: Como o sr. contextualiza esse mito na atualidade?

Márcio Souza: Curiosamente, o mito com que trabalhamos, comum ali na região do rio Negro, tem muito a ver com as abordagens da física quântica. Há nele a idéia de uma grande explosão, que abre um nicho dentro do nada, uma explosão que cria o universo, como o Big Bang. Outra coisa: esse universo é entrópico, ele não caminha para a perfeição. Ele colapsa. A existência da humanidade como matéria pensante é crucial nesse contexto, pois coloca o debate, que existe na física, em torno da questão de se o universo encena para a gente, como observadores, ou não – aquelas sutilezas poéticas.

CADERNOS: O sr. retomou a direção do Tesc em 2003. A volta a essa atividade teatral constante, interrompida com o fechamento do grupo em 1982, é um projeto que se apresenta como sendo de longo prazo?

Márcio Souza: Eu lamentei muito o episódio da interrupção do Tesc, por motivos políticos, em 1982. Foi um trauma muito grande. Recebemos solidariedade nacional e internacional. Estávamos, como vocês sabem, montando o *Boto Tucuxi* e aquilo foi demais para a política local. Acabei saindo de Manaus, muito irritado. Fui para o Rio, onde, anos depois, acabaria assumindo funções públicas, na Biblioteca Nacional, depois na Funarte. Nesse período, até recebi convites para escrever peças de teatro, mas – agora respondendo melhor à pergunta de vocês – só sei escrever para o palco se tenho um grupo. Ou seja, está tudo junto, literatura, teatro e grupo teatral, entendem? Se eu pretendo, e pretendo, continuar escrevendo peças, vejo essa continuidade ligada ao meu trabalho com o grupo teatral. A proposta para voltar a Manaus e retomar o Tesc veio no final da minha gestão na Funarte. Eu estava bem instalado no Rio, tinha convite para dar aula nos Estados Unidos. Mas me decidi por Manaus e por voltar a dirigir um grupo de teatro.

CADERNOS: O sr. diria que hoje, mais do que nunca, a proposta do Tesc está dirigida para questões relacionadas às origens amazônicas – quer dizer, existe uma preocupação ainda maior com a identidade, já que o momento político do país é outro?

Márcio Souza: Bem, de certo modo não mudamos a proposta, os objetivos do grupo. A proposta original do Tesc era correr principalmente num par de trilhos: um voltado para uma visão crítica do processo histórico da Amazônia e outro dedicado às culturas originárias dos povos indígenas. Às vezes, além de aproximarmos os dois campos, enfatizamos uma outra característica que estava presente na primeira fase do grupo: o trabalho com grandes textos do teatro mundial. Assim, fizemos *A paixão de Ajuricaba* [1974] e o *Hamlet* [de William Shakespeare, 1603]; agora estamos levando o *Dessana, Dessana* e para o ano que vem temos o projeto de montar *Tartufo* [1664], de Molière. Ainda em 2005, faremos um balé-teatro baseado em *Dom Casmurro* [romance de Machado de Assis, 1900] e vamos ter um oratório dramático que se chama *Santo Antônio de Borba que o diga*, do poeta Aldísio Filgueiras, com música do Adelson Oliveira – que são os co-autores de *Dessana*.

CADERNOS: O grupo atual rende de modo parecido com o primeiro?

Márcio Souza: A diferença da primeira fase para a segunda é que na primeira nós tínhamos um grupo de teatro mais de classe média, tínhamos muito funcionário do comércio, mas a maioria dos integrantes era formada por estudantes universitários. Acontece que aquela, claro, era uma outra Manaus. O tal funcionário do comércio, por exemplo, naquela época, tinha um outro status. Hoje não, a realidade da cidade é outra. Temos 55 participantes, nem todos jovens, embora a maior parte esteja entre os 17 e os 22 anos. Mas temos até um senhor aposentado, de 60 anos; ele foi funcionário da prefeitura e fez teatro de bairro a vida toda. Com essa experiência enorme, ele exige muito dos jovens, é um exemplo para os novos. Na orquestra são 25 jovens, entre os 16 e os 19 anos. Um deles, Elismael Lourenço dos Santos, o Cafezinho, que tem 17, já saiu até no *The New York Times*. Ele é um clarinetista genial. Esse garoto, se não fosse a ajuda do governo, não seria músico.

CADERNOS: Parte dos professores de música em atuação hoje em Manaus veio do Leste Europeu. Como é o seu trabalho com eles?

Márcio Souza: De fato, os músicos que vieram para o Brasil após a queda do Muro se tornaram, em sua maioria, professores. Há, em Manaus, não só a Universidade Estadual, que tem um instituto de música muito rico, que atende os melhores alunos individualmente, como na Europa, como também o Instituto Cultural Cláudio Santoro, uma instituição de ensino livre para quem está matriculado na rede e, de preferência, tem poucos recursos. O menino ou menina têm de estar estudando para entrar no Cláudio Santoro, que também oferece cursos de teatro e dança, oficina literária, cinema. A criança escolhe uma área, faz teste e, se é aprovada e estuda de manhã, vai ao instituto à tarde e vice-versa. Os meninos e as meninas que estão conosco – o intercâmbio com o Cláudio Santoro é fundamental para o Tesc – ganham uma bolsa de R$ 300,00 por mês, patrocinada pela prefeitura da cidade. É o "primeiro emprego", vamos dizer assim, deles e é a primeira vez que estão tocando em orquestra com maestro. Foi uma disputa acirrada entre os candidatos para que fossem os escolhidos aqueles 25.

CADERNOS: Esse intercâmbio de instituições, que o sr. menciona, de certo modo constitui um processo de inclusão social por meio da música. O sr. diria que se trata de um primeiro passo para Manaus produzir um novo "re-

gionalismo do Norte" na cultura brasileira? Existe um projeto nesse sentido?

Márcio Souza: Bem, sobre isso eu tomaria um certo cuidado com relação a esse problema do regionalismo, porque não é muito da tradição da Amazônia essa história de regionalismo. Isso é mais gaúcho, mais nordestino; eles é que sempre estiveram ligados a esse tipo de conceito que, aliás, começa, de certo modo, no Nordeste. Há uma insistência populista em tratar essa questão do regionalismo em contraposição com as tendências mais cosmopolitas, que não refutam as manifestações folclóricas e populares, ao contrário, mas a interação é diferente. De qualquer forma, acredito que o nosso estado começa a amadurecer uma geração que vai produzir de modo intenso e levar ao público trabalhos de qualidade nas artes visuais, na área de artes cênicas, do canto lírico, da fotografia, da literatura – porque é uma geração diferente da minha; ela tem formação mesmo. Esses meninos e meninas que estão lá hoje sabem quem é Konstantin Stanislávski, por exemplo; estão fazendo teatro e conhecem a teoria do Stanislávski. Esses adolescentes foram obrigados a ler coletivamente o *Hamlet*, peças de Martins Pena, de Nelson Rodrigues – ou seja, têm meio caminho andado, que a minha geração não tinha, a não ser que a pessoa fosse autodidata. Ao mesmo tempo, eles chegam com todas as carências de quem cursa o segundo grau ruim que é dado no Brasil. Na hora em que fomos fazer a primeira leitura do *Hamlet*, o vocabulário do grupo era tão limitado que eles não sabiam coisas pueris do texto. Hoje vocês precisam ver como é que eles falam, como é que eles se expressam nas entrevistas. A minha ambição não é formar mão-de-obra para a Rede Globo. Se isso acontecer, parabéns para quem conseguir virar um ator nacional, mas o objetivo é ter um grupo de cidadãos conscientes da sua posição no mundo, na sociedade. Gente que possa discutir a sua vida, a sua relação com os outros, pessoas que possam criticar a sua realidade, que não sejam mais abandonadas, marginalizadas, como quando chegaram lá.

CADERNOS: Como o sr. vê o entrelaçamento entre a arte – a pesquisa estética – e a intervenção política?

Márcio Souza: Uma coisa que o Amazonas não tinha há 30 anos era uma política cultural. Hoje ela existe. O nosso estado investiu em cultura nos últimos três anos, algo muito próximo de São Paulo. Esse projeto cultural, na realidade, já tem mais de uma década. E a ambição é fornecer cada vez mais oportunidades. O Amazonas, só para dar um exemplo, é o único estado que oferece bolsas para tradução internacional de autores nativos. Também produzimos um festival de ópera, temos quatro orquestras vinculadas à Secretaria de Cultura, para não falar dos programas de fomento às artes cênicas, de uma proposta como o Teatro Experimental do Sesc. Eu não testei os limites disso. O *Hamlet*, por exemplo, não tem nenhuma contradição com a sociedade nem com o projeto de política do governo, ao contrário, eles querem um *Hamlet* amazonense para mostrar que é possível montar um clássico desses com um elenco de lá. Agora, esse limite não foi testado. Eu sempre digo que precisamos montar uma peça que conte a vida sexual do Duque de Caxias para ver se estamos realmente numa democracia. Mas que a mudança é notável, não se discute. Hoje temos na cidade de Manaus todas as condições para montar Shakespeare como se deve, usando só recursos locais.

CADERNOS: Capital humano.

Márcio Souza: Isso. Eu me lembro que, para fazer *A paixão de Ajuricaba*, que se passa no século XVIII, recorri a duas tias que eram costureiras para poder ter os figurinos. Deu o maior trabalho e, quando cheguei lá, vi que tinham feito errado – claro, elas não eram figurinistas. Hoje eu tenho pessoas que costuram só para o teatro. Você dá o desenho e elas sabem interpretá-lo. Conhecem o corte do século XVIII. Assim, as fardas, os trajes femininos etc., tudo sai perfeito. Além do Rio e de São Paulo, onde mais você encontra isso?

CADERNOS: Podemos afirmar que o teatro acaba sendo um ponto de confluência da sua intervenção como intelectual da Amazônia, vale dizer, como romancista, administrador da cultura, ensaísta? O teatro é uma síntese pessoal para o senhor?

Márcio Souza: Eu acho que sim. O campo é muito vasto, praticamente inesgotável. Se você não domina o imaginário de determinada região, é complicado ter o domínio político, o domínio econômico. Ao mesmo tempo, posso dizer que estou com a vida que pedi a Deus. Eu passo o dia no meu escritório com ar-refrigerado – não há cultura que resista a 40 graus. Fico lá escrevendo, pesquisando. De vez em quando posso viajar, passar um período em Austin, nos Estados Unidos, onde existe o maior arquivo sobre a América Latina. Se vou a Paris, ocupo parte do tempo na Biblioteca Nacional; pesquiso, leio um livro, anoto. Pois bem, voltando a Manaus: passo o dia trabalhando com textos e, quando dá seis horas da tarde, eu paro, tomo um banho, faço um lanche, atravesso a quadra e estou no Teatro Experimental do Sesc. Quando entro lá, encontro os "meus filhos", as "minhas filhas", que são esses jovens, não é? Aí começamos a trabalhar, a ensaiar, até dez e meia da noite, quando tenho de soltá-los, porque senão eles perdem o último ônibus. Nas quatro horas e meia em que ficamos juntos, trocamos muito, aprendemos muito. Seja pelos laboratórios e ensaios propriamente teatrais, seja pelas oficinas sobre os temas com que estamos lidando – neste ano, por exemplo, tivemos lá um professor da Universidade Federal do Amazonas que falou sobre a presença do índio na literatura brasileira. A oficina durou meses. Já promovemos também um curso de musicalização. Quando começaram os ensaios do musical que íamos montar, o maestro podia dizer "compasso 128" e eles sabiam do que se tratava. Hoje, os 30 atores do grupo sabem ler partitura. Se você chegar lá e der uma partitura para um ator nosso ele sai cantando. Tudo isso é cultura, claro.

CADERNOS: O sr. já tinha formação musical?

Márcio Souza: A minha formação é mais precária. Eu leio partitura com dificuldades – tenho de solfejar. Aprendi no colégio Dom Bosco; lá nós tínhamos canto orfeônico.

CADERNOS: Este relato que o sr. faz agrega, na realidade, uma outra dimensão à sua forma de atuar intelectualmente – trata-se do, digamos, "Márcio educador", "formador". Essa experiência direta com um grupo tão multidisciplinar é nova em sua trajetória, não?

Márcio Souza: Verdade. E é como eu disse: aprendo muito. Esteve lá um cientista do Instituto Nacional de Pesquisas da Amazônia, o Inpa, para falar sobre a economia de uma tribo indígena do rio Negro. Acompanhei tudo. Se estamos falando de Marx, vamos estudar o século XIX, a economia do período, a biografia do pensador – e assim por diante.

CADERNOS: É quase um programa universitário.

Márcio Souza: Acaba sendo mesmo, mas nossos meninos e meninas estão quase todos no segundo grau. Alguns já entraram na universidade – nós conseguimos colocá-los lá. Esse, aliás, é o objetivo. Para eles receberem aquela bolsa que já mencionei aqui não podem deixar de estudar. Neste ano, nós tivemos uma grande derrota, só uma menina entrou na faculdade (em biblioteconomia). Os demais foram reprovados. Foram ambiciosos demais: queriam fazer engenharia, medicina. Eu até comentei com um deles: "Ainda bem que você não passou. Imagine o horror que seria a medicina com você sendo médico. Tem de redimensionar isso; pensar melhor".

CADERNOS: Toda essa dificuldade dos atores em sua vida fora do teatro lembra, mal comparando, a montagem de *Esperando Godot* [1953], de Samuel Beckett, em 1993, dirigida por Susan Sontag, numa Sarajevo sitiada, à mercê de bombardeios. Claro que a situação é diferente: lá se tratava de um país destroçado, de uma guerra. Ainda assim, quando se olha para alguns problemas enfrentados pelos atores, notam-se pontos em comum.

Márcio Souza: De certo modo, são experiências parecidas. Vejam, por exemplo, os trabalhos ridículos que o nosso pessoal precisa fazer para garantir a sobrevivência. O jovem tem de ficar o dia inteiro, por exemplo, guardando automóvel no estacionamento do Amazonas Shopping. Isso, para ganhar 200, 250 reais por mês.

CADERNOS: São esses jovens que atuam tanto num espetáculo centrado em suas próprias raízes como *Dessana, Dessana*, quanto no *Hamlet*. A pergunta é a seguinte: esse equilíbrio se propõe a evitar um excesso de crença nos próprios valores, uma atitude que, radicalizada, costuma levar ao autoritarismo?

Márcio Souza: Não, não é nem essa a preocupação. Deixem-me explicar. Todos nós, latino-americanos, ganhamos esse rótulo de exóticos, de primitivos. É que depois da Segunda Guerra havia uma expectativa enorme de que a América Latina viesse a ter um diálogo transformador da realidade mundial. Isso não aconteceu; foi uma das grandes decepções do pós-guerra. No nosso lugar vieram os asiáticos. A América Latina ficou nesse mar de retórica revolucionária. A história é muito fabricada – então você não pode sucumbir ao que dizem que aconteceu no passado. Você tem de checar isso do ponto de vista crítico. Pois bem: *A paixão de Ajuricaba*, por exemplo, não é uma reedição romântica da idéia do índio; ali está denunciada a antropofagia, as guerras entre tribos. Mas, a certa altura, o protagonista da peça diz: "Mesmo que os pajés tivessem falado que eu seria derrotado, nós deveríamos ter feito o que fizemos para que no futuro não dissessem que herdaram a covardia de nós". Isso é Demóstenes, entendem? Existem valores maiores do que o próprio "regionalismo", digamos assim, indica. Não se deve temer o universal. Então, o que eu quero dizer é que o objetivo maior da nossa proposta é tirar esse rótulo de primitivo, de exótico que nos impuseram. Quem disse que *O anel dos nibelungos* [de Richard Wagner] não é para amazonense? Voz é universal, não?

CADERNOS: Isso induz a um processo de dupla causação, pois a Europa tem uma demanda pelo *exotic* e nos vê como selvagens e, por outro lado, qualquer dimensão universal que qualquer literatura brasileira reivindique só pode ser admitida lá como uma "segunda instância". Tal processo precisaria ser rompido em uma ponta. Qual seria a forma de vencê-lo?

Márcio Souza: Acho que aí você tem de criar um movimento que eu chamaria de "Antiveias abertas da América Latina". Vamos fechar as veias todas aqui, propor uma outra forma de diálogo. A primeira posição é evitar o carimbo, o rótulo de que falamos há pouco. É interessante observar, por exemplo, como os Estados Unidos têm menos preconceito nesse ponto. Claro: eles também passaram por experiência colonial. Os americanos convidaram o nosso grupo de teatro para fazer uma turnê lá. E sabem com qual peça? *Hamlet*! Eu pensei que eles iriam querer *A paixão de Ajuricaba*. Não. Então me perguntei: mas por que um *Hamlet* em português? Porque eles querem outro tipo de leitura, me disse um professor de artes cênicas da Universidade do Texas: "Nós queremos saber o que vocês estão fazendo que tem a ver com a gente, não importa que seja em português", ele explicou. Eu aposto que se o convite viesse da Europa eles não iriam pedir o *Hamlet* e sim *A paixão de Ajuricaba*.

CADERNOS: Mas aí viria de novo a questão colonial, não?

Márcio Souza: Não tem importância. *A paixão de Ajuricaba* não tem esse lado exótico. O nosso Ajuricaba é um índio sofisticadíssimo. Poderia muito bem sentar no Le Procope e conversar com Voltaire por várias horas falando sobre o iluminismo.

CADERNOS: Voltando ao plano mais relacionado com técnica literária. *Galvez, imperador do Acre* chegou a ter 800 páginas. No final, saiu com pouco mais de 200. Pode-se imaginar que a expressiva redução no tamanho do livro se deva ao propósito de atender integralmente à estética oswaldiana que o conduz, que privilegiava a síntese, como se sabe, na hora de trazer à tona um relato pautado pela ironia, pelo humor. O riso, portanto, exigiria uma expressão mais sintética? Noutras palavras, o sr., à maneira de Oswald de Andrade, quis fazer o "romance-piada"?

Márcio Souza: Não conscientemente. Na época da opção final da forma do *Galvez*, duas coisas foram, digamos assim, cruciais para eu descobrir como poderia resolver a questão do romance. Em primeiro lugar, eu me dei conta de que havia no período de ação do livro um tipo de humor entranhado na própria linguagem – é o caso de Machado de Assis em *Memórias póstumas* [*de Brás Cubas*], publicado em 1881. Na época em que eu tentava terminar o *Galvez* estava envolvido com a peça *As folias do látex*. Era uma peça sobre o ciclo da borracha e eu vinha discutindo com o grupo como fazer o espetáculo. Inicialmente pensei em fazer o grande drama da família que enriquece e depois entra em decadência. O grupo pesquisou muito sobre o tema. Levantou coisas engraçadas, como a história do encontro entre um empresário amazonense que foi trabalhar na exportação de borracha em Paris com um representante da rússia czarista, em 1916. Os dois falavam que a crise econômica dos seringais da Amazônia era em conseqüência da Primeira Guerra, portanto, seria passageira; que a Rússia dos czares iria se sair muito bem do conflito mundial. Aos poucos fomos chegando à conclusão de que a melhor forma de tratar o assunto era por meio de fragmentos e não de uma estrutura explicitamente linear. Ou seja: mais do que o cinema, como se costuma supor, já que eu tinha a idéia de fazer um filme, foi o teatro que pesou de maneira decisiva na forma final de *Galvez*.

CADERNOS: Quanto tempo o sr. demorou para fazer o corte no livro, para remontá-lo?

Márcio Souza: Poucos meses. No caso do *Galvez*, na realidade, o que você tem é um romance falsamente fragmentário; ele simula uma fragmentação que não existe: a história é linear. Agora, tem aquelas interrupções irônicas nos primeiros capítulos, que é uma proposta machadiana, e a justaposição igualmente irônica de cada título de capítulo. O que existe, no fundo, é a opção pelo sintético, a escrita meio telegráfica, herança do modernismo. O humor, como eu já comentei, incrustado mimeticamente na linguagem, me veio primeiro a partir do sarcasmo machadiano. Depois é que eu fui perceber que tinha muito do meu "primo" Oswald de Andrade.

CADERNOS: O sr. disse no início de sua carreira que considerava Oswald não apenas o melhor escritor do Brasil como também do continente americano. O impacto do autor

paulista em *Galvez* estava, naquela ocasião, muito presente, claro. Quase três décadas depois de sua estréia no romance o sr. ainda mantém a opinião sobre Oswald de Andrade?

Márcio Souza: Eu acho que sim. Depois eu descobri que ele foi o escritor mais rico do Brasil. Gostaria que essa experiência se repetisse comigo [ri]. Mas, brincadeiras à parte, Oswald foi também o autor mais radical que conhecemos. Ele foi radical em tudo. Quando foi católico, quando aderiu ao comunismo.

CADERNOS: Há quem diga que Oswald de Andrade teve uma vida maior que a obra. Que ele, como "personagem", era mais importante do que na condição de escritor. Qual é a sua opinião sobre isso?

Márcio Souza: Eu acho que quem afirma isso não sabe ler o Oswald. Mesmo que possam parecer autodepreciativos romances-piada, *Memórias sentimentais de João Miramar* [1924] e *Serafim Ponte Grande* [1937] não têm similares na América Latina. O radicalismo literário e criativo desses dois romances é algo surpreendente. Isso, para não falarmos da poesia oswaldiana. O Oswald não era um beletrista. Por isso é de difícil digestão por parte dos conservadores. E é bom ressaltar que isso acontece também porque ele foi radical num país que odeia o radicalismo – adora o compromisso, adora os acertos. Fica complicado para um autor como ele ser levado a sério.

CADERNOS: No final da vida, Oswald de Andrade escreveu *A crise da filosofia messiânica* (1950), algo que se deve certamente à influência do contato que travara com Vicente Ferreira da Silva, um filósofo extra-acadêmico, mas de enorme importância. Apesar de a tese ser muito interessante, Oswald acabou não sendo admitido na universidade, como era o seu propósito ao escrevê-la. O sr. acredita que parte da resistência que ainda existe em torno da obra dele se deva a esse fato?

Márcio Souza: Ninguém iria aceitar um antropófago ocupando a cadeira de antropologia ou de teoria literária de uma grande universidade. Acabaria devorado no dia seguinte por Oswald. De todo modo, a versão que corre é que o Oswald era um homem muito mais de antenas do que de disciplina acadêmica e assim teria escrito sua tese. Mas ninguém pode negar que os textos ensaísticos de Oswald têm insights extraordinários. Vejam o caso do trabalho sobre os inconfidentes. Ele levanta uma questão que nunca tinha sido aprofundada: de como a censura de Portugal domesticou os poemas dos nossos árcades. Os inconfidentes eram os escritores mais populares do seu tempo. *Marília de Dirceu* é o maior best-seller da literatura portuguesa no século XVIII. Então o Oswald, por suas enormes antenas, foi um escritor como nunca tivemos aqui, um homem que travou contato com tudo o que era importante na cultura do seu tempo. Existe, especialmente em São Paulo, essa divisão entre Oswald e Mário de Andrade. Eu gosto muito do Mário. Ele produziu obras maravilhosas. Mas enquanto ele estava trabalhando para o Getúlio Vargas, o Oswald estava sendo preso. Isso não tem nada a ver com a obra, eu sei, mas tem a ver com a biografia, com todo o radicalismo que imperou na vida do Oswald. Eu acho que Oswald de Andrade merecia ter tido um ensaio sobre sua obra escrito por Sartre, que compreendia essa questão da liberdade e da existência, que na vida do Oswald foi muito presente.

CADERNOS: O que o sr. aponta, portanto, é o debate entre arte e vida. O escritor franco-argelino Albert Camus dizia que Galileu só pôde recuar em suas posições diante da Igreja porque para ele estava em jogo uma convicção científica *stricto sensu*, enquanto para Giordano Bruno tratava-se de uma questão visceral, uma verdade sanguínea e não exatamente científica. Daí o destino diferente de ambos. Mário de Andrade, apesar de sua extraordinária bagagem, tinha um certo distanciamento em relação ao mundo, diferente de Oswald. O sr. concorda com essa análise?

Márcio Souza: Eu acho que sim.

CADERNOS: Há quem diga também que, num esforço para ser aceito como professor na universidade, Oswald teria se dobrado. Qual a sua opinião sobre isso?

Márcio Souza: Eu tenho a impressão de que, na realidade, o que aconteceu no final da vida do Oswald é que ele se sentiu solitário. Esse, aliás, é o depoimento de Antonio Candido, da geração de Antonio Candido. Oswald de Andrade era uma pessoa radical, como já se disse aqui, e isso gera uma reação forte. Tenho a sensação de que no fim da vida ele tentou restabelecer os laços com todo mundo que havia feito parte de sua trajetória. Existe um fenômeno curioso, aliás, em relação ao modernismo. Embora tenham surgido com propostas renovadoras do ponto de vista estético, os grandes autores modernistas foram extremamente reacionários como escritores profissionais. Na geração do Machado havia uma série de autores que vivia de literatura, além dele mesmo. Eram escritores profissionais, publicados por grandes casas editoriais. O João do Rio ganhou, pela primeira vez, uma ação que obrigava a editora dele a retirar uma obra das livrarias porque continha muitos erros.

CADERNOS: Sim, foi *A profissão de Jacques Pedreira* (1913).

Márcio Souza: Aluísio Azevedo, quando virou funcionário público, não conseguiu mais escrever, ficou bloqueado. Quer dizer, era um escritor profissional. Já os modernistas agiram de outro modo. Oswald foi muito rico; então, inventava nome de editora para os livros que ele publicava, pagando do próprio bolso. Mário de Andrade, que não tinha onde cair morto, se esforçava com o dinheirinho de funcionário público para pagar as edições dos livros que escrevia. Eu acho que esse isolamento também tornou aguda a crise de solidão de Oswald no final da vida. Ele não tinha mais nenhum livro nas livrarias.

CADERNOS: Estava esquecido.

Márcio Souza: É verdade. Eu gostaria muito de ter conhecido o Oswald.

CADERNOS: Quando tinha 38 anos de idade, o sr. disse que almejava ser como Jorge Amado. O que a obra do autor baiano significa hoje para o sr.? Em que se assemelha, eventualmente, à sua?

Márcio Souza: Eu sempre gostei muito do Jorge Amado. Fiquei impressionadíssimo com *Mar morto* [1936], por exemplo. Mas o que me encantava no Jorge era que ele se definia como um escritor que escreve sobre o povo e para o povo – ele queria ser lido, num país em que ser lido, em que vender 5.000 exemplares, ao menos naquele tempo, era algo incomum. Assim, eu admirava Jorge Amado por isso, como também admirava Erico Verissimo. Eles eram escritores de leitores, entendem? O próprio [Carlos] Drummond de Andrade fazia questão de ser lido. Depois fiquei amigo do Jorge – ele era meio "pai literário" da gente, quer dizer, de mim, do João Ubaldo Ribeiro, do Ignácio de Loyola e do Antônio Torres. Ele nos ligava sempre que estávamos às voltas com um contrato."Como é? Resolveu?", perguntava. Era um homem de extrema generosidade. Não tenho nenhum parentesco literário com Jorge Amado. Gosto muito de *Gabriela, cravo e canela* [1958], acho a idéia de *Dona Flor* [*e seus dois maridos*, 1966] maravilhosa, mas literariamente não temos proximidade. O que me chamava mais a atenção era o Jorge como profissional, um escritor profissional, que se impunha.

CADERNOS: Em certa medida, *Mad Maria* (1980), seu terceiro romance, retoma a trilha aberta com *Galvez*, de recontar episódios da história da sua região sob um viés crítico. O retorno à temática amazônica significou, de alguma forma, uma necessidade de sinalizar que a "experiência paulista", relatada em seu segundo romance, *Operação Silêncio*, embora autobiográfica, não representava um abandono de um projeto literário voltado para suas raízes?

Márcio Souza: Não. O que aconteceu foi que, logo depois de publicar *Galvez*, eu pensava em mergulhar na pesquisa sobre a estrada de ferro Madeira–Mamoré, para depois escrever um livro. Ou seja, *Mad Maria* deveria ter sido o meu segundo romance e não o terceiro. Foi então que o livro *Em câmara lenta* [1977], de Renato Tapajós, começou a ter grande repercussão. Nós somos muito amigos e, conversando com ele, Renato me disse: "Você tinha que escrever sobre esse período também, Márcio". E aquilo foi como uma espécie de desafio. Eu não pretendia, de fato, me ocupar do tema, não ao menos naquele momento. Na verdade, eu já estava começando a estudar a ferrovia Madeira–Mamoré, que era uma coisa relacionada com a Transamazônica; queria uma resposta aos planos megalomaníacos da ditadura. Mas, um dia, eu me sentei, comecei a escrever – e não parei mais. *Operação Silêncio* saiu assim, de uma vez.

LYGIA FAGUNDES TELLES: Confesso que me emocionei e muito quando assisti na televisão à minissérie baseada em *Mad Maria*. Fiquei comovida, a começar por aqueles trilhos de sangue penetrando tão desesperados na floresta amazônica. E o apito da locomotiva, um apito tristíssimo, que curiosamente me fazia lembrar daquele antigo filme, de 1943, baseado no romance *Por quem os sinos dobram* [1940], de Ernest Hemingway. Um sino que dobra por nós, como soa por nós o apito da locomotiva. Penso eu que foi através dessa pequena novela que o arredio leitor tomou conhecimento

do seu belo livro. Márcio, apesar das inevitáveis infidelidades que uma adaptação comete em relação a um romance, qualquer romance, você ficou satisfeito? Afinal, valeu a pena?

Márcio Souza: Valeu, sim. Quando você autoriza a adaptação para um outro meio, é preciso ter isso muito claro na mente: é "outro meio". O que eu tinha de fazer no caso de *Mad Maria* estava feito para um romance. Se aceitei a adaptação para a TV, tinha de dar total liberdade para quem ia tocar o projeto. *Mad Maria* é um romance; a adaptação para minissérie televisiva é outra coisa. Mas, com certeza, posso afirmar com convicção que valeu a pena. Para começar, por uma razão óbvia: a consagração junto aos leitores, junto a uma nova geração de leitores, que não tinha contato com o que eu havia escrito. Num país como o nosso, de enorme carência de bibliotecas públicas, de livrarias etc., os leitores têm dificuldade de acesso às obras. Quando um livro é adaptado para a televisão, ele acaba chegando, de alguma forma, para todas aquelas pessoas que, de outro modo, jamais teriam acesso à história.

CADERNOS: Qual é o seu limite na aspiração de ser lido?

Márcio Souza: Vejam. Nenhum editor chegou a me propor que fizesse concessões, ou que eu escrevesse assim ou assado. Isso, nem aqui nem nos Estados Unidos. Nenhum editor americano veio me dizer que tal capítulo deveria ser modificado, dessa ou daquela maneira. E eu, de minha parte, não me impus colocar isso ou aquilo porque já ficou provado que o leitor gosta. Não existe isso. O que eu reivindico é o direito de escrever para ser lido, quer dizer, que os editores cuidem da parte deles, que ponham o livro nas livrarias, que o divulguem, que não cobrem tão caro, que se adequem ao mercado brasileiro, que busquem me dar um respaldo nessa tentativa de dialogar com os leitores. Eu escrevo para os leitores; o editor tem de fazer o que lhe cabe. Eu quero ser lido. Se eu tiver uma edição esgotada, maravilha, é como eleição direta. Livraria é aonde o público vai e vota – se você acertou, ganha leitores. Eu não pertenço à estirpe da Emily Dickinson, que, aliás, é a única autêntica quando dizia que não queria ser lida. Mesmo assim, mostrou uns poemas a um crítico ligado ao setor editorial, que disse que ela devia publicar. Só que Emily não quis. Eu não sou desse jeito. Eu sou um escritor dos leitores, insisto. Eu gosto dos leitores. Espero que os leitores leiam os meus livros. Isso não quer dizer que eu vá sucumbir e preparar uma literatura pasteurizada.

CADERNOS: De qualquer forma, houve uma época, logo após o lançamento de *Mad Maria*, na qual o sr. afirmou que tinha intenção de entender o mecanismo que pudesse proporcionar uma literatura, entre aspas, "de massa".

Márcio Souza: É, eu quis entender realmente.

CADERNOS: Então o sr. foi ler best-sellers americanos. De novo a pergunta: qual é o limite dessa aspiração em ser lido pelo grande público?

Márcio Souza: É claro que, ao fazer *Mad Maria*, eu já tinha mais informações sobre o fenômeno da indústria editorial no Brasil do que antes. Não era mais a indústria editorial do modelo José Olympio, mas também ainda não era esse modelo meio internacionalizado de hoje, multinacional. Eu entendia um pouco melhor como as coisas funcionavam; sabia, por exemplo, que na época um livro descartável americano vendia aqui no Brasil 30 mil exemplares. Isso é muito para um país que não tem dinheiro para comprar livros, um país onde o escritor, para sair dos 3.000 exemplares, tem de suar. Então, eu me perguntava, como isso era possível? Achei que tinha que me debruçar sobre esses tais romances. No começo, quando fui à minha livraria preferida, até o livreiro que estava acostumado a me atender estranhou. Comecei a notar que os best-sellers exploram muito o tema da competição e da ascensão social, uma coisa que tinha a ver com o desenvolvimento do capitalismo. Também ofereciam certa satisfação calvinista ao leitor, fornecendo informações que você usa para conversar com o gerente de banco, quando você quer um empréstimo e pretende impressionar. Ao mesmo tempo, eu não entendia como alguém poderia ler aqueles calhamaços até o final, se, na página 50, você já matava a charada da história. De qualquer maneira, gosto de ler um Michael Crichton, por exemplo. Ele troca em miúdos uma série de conquistas das ciências; no conjunto, é agradável de ler.

CADERNOS: É o best-seller com bibliografia.

Márcio Souza: Exatamente.

CADERNOS: *Galvez* se vale de um recurso muito utilizado nos folhetins dos séculos XVIII e XIX e que o sr. mesmo retomaria na tetralogia *Crônicas do Grão-Pará e Rio Negro*, iniciada em 1997 com o romance *Lealdade*: a apresentação do que se está lendo como sendo apenas a reprodução de um manuscrito deixado pronto por alguém. Em *Galvez*, cujo conteúdo tem, propositadamente, o caráter folhetinesco, a estratégia parece bastante natural. Já na tetralogia, o recurso ganha conotações quase borgianas. O sr. poderia discorrer sobre o diálogo da sua obra com essas fontes?

Márcio Souza: Eu li muito a obra de Borges. Sou fascinado por ele. Em primeiro lugar, porque era um leitor inveterado, como eu sou. Imagino quão terrível deve ter sido para ele ter ficado cego – como foi para Jorge Amado, que morreu exasperado por causa disso. O segundo motivo da minha admiração por Borges vem pelo fato de que ele foi bibliotecário. Eu não sou bibliotecário, mas tive quatro anos de experiência na Biblioteca Nacional. Como diretor do Departamento Nacional do Livro, que funciona lá, eu tinha o privilégio de consultar e mexer na obra que quisesse. Para um leitor como eu, vocês podem imaginar o que significava, a maravilha que era pegar a primeira edição do *Dom Quixote* [1605], de Miguel de Cervantes, ou uma cópia pirata da primeira edição d'*Os lusíadas* [1572], de Luís de Camões, ou um volume colorido à mão por Franz Post. Esse universo do livro como entidade física e, ao mesmo tempo, uma porta de entrada, uma chave para um outro mundo, isso sempre me fascinou em Borges, porque, na verdade, o livro é um objeto físico que, quanto mais antigo, mais "objeto de fascínio" ele é.

CADERNOS: É incomum, em sua ficção, o uso do narrador em primeira pessoa. Mas isso ocorre na tetralogia. Por que o sr. fez essa opção? Tecnicamente, ela cria novos desafios, não? Quais?

Márcio Souza: Antes de entrar no problema da linguagem, preciso explicar que, originalmente, *Crônicas do Grão-Pará e Rio Negro* não era uma tetralogia. Eu havia pensado num volume só. Mas eu e o Felipe Lindoso, que era meu sócio na editora Marco Zero, chegamos à conclusão de que seria um livro de 800 páginas. Então, como eu tinha planejado quatro partes para essa obra, acabou virando quatro volumes. Tanto que o meu editor americano está esperando eu terminar para lançar tudo num livro só – lá o público não se assusta com esses tijolões. Bem, essa é a primeira coisa curiosa, que não tem nada a ver com a estrutura. Mas quando eu estava começando a trabalhar pensei que, sendo aquela uma história de época, o melhor jeito de transportar o leitor imediatamente para o período da ação era, claro, por meio da linguagem. Não adiantava eu desfilar erudição, páginas e páginas descrevendo um vestido usado no final do século XVIII no Amazonas, que isso não atrairia a atenção. Cheguei à conclusão de que se a história fosse contada na primeira pessoa conseguiria aproximá-la melhor do leitor. Então comecei e, quando caí em mim, quando me dei conta da dificuldade que esse processo implicava, já era tarde, não tinha mais volta. É fácil explicar a dificuldade. Se eu sou um narrador onisciente, eu não tenho de ter uma personalidade diferente da minha, eu sou eu – e estou lá. Mas o Fernando, de *Lealdade*, é outra pessoa; ele é um homem do século XIX. Só que, se eu mimetizasse a linguagem do século XIX, iriam acontecer duas coisas: soaria artificial e acabaria ininteligível para os leitores. Eu estava, então, com um problema: de um lado, queria usar a linguagem como máquina do tempo para o leitor e, de outro, não queria impor a ele qualquer estranhamento, porque poderia levá-lo a fechar o livro. Então o que eu fiz foi trabalhar muito com a estrutura de texto dos documentos, dos discursos daquele período, procurando dar lampejos para o leitor de como era o sabor do português na época. Assim, se ele tem em um parágrafo duas palavras que não sabe o que significam, pelo contexto é possível compreender – e é como se estivesse desembarcando na Lisboa de 1819 ou em Belém daquele período. E como seria o texto de um oficial do Exército português que estudou engenharia militar em Portugal, nasceu em Belém, foi, voltou, já não tinha mais pátria? Como seria o "estilo" desse homem? Para resolver isso, eu tive de trabalhar o personagem como se fosse no teatro. Sendo uma pessoa com essa formação, o texto dele deveria ser preciso. Mas, ao mesmo tempo, Fernando é um homem inseguro, que conhece os seus limites, não entende nada de política – o que fala está respaldado no que lhe dizem o cônego Batista Campos e Alexandre Rodrigues Ferreira, que são figuras tutelares para ele. Fui construindo, então, o romance, dentro dessa perspectiva e sempre com a preocupação de não ser arcaizante. Como me impus isso no primeiro volume da tetralogia, não podia sair com um narrador em terceira pessoa nos demais, para não quebrar a unidade. Tanto que em *Desordem* a narradora é Simone, mulher que teve uma vida muito mais ampla do que todos os outros personagens. Ela acompanhou, quando adolescente, o exército de Napoleão, viu vitórias dele. Depois foi para a Guiana Francesa e para Belém, antes de voltar para Paris. Assim, a narração dela é mais ágil, é mais febril. Outro desafio é que ela não escreve em português; supostamente teria escrito em francês. Então fica justificado que aquilo que o leitor vê não seja um texto do século XIX – teria havido um trabalho de duas professoras traduzindo o relato para o vernáculo atual. Elas explicam isso numa introdução, que é uma forma de brincadeira minha de aproximação com a crítica.

CADERNOS: Explicitamente, o projeto de *Crônicas do Grão-Pará e Rio Negro* vincula-se com *O tempo e o vento* (1949-1962), de Erico Verissimo, a quem é dedicado o primeiro volume da sua tetralogia. Como o sr. vê essa convergência de regiões antípodas?

Márcio Souza: Realmente, Erico foi o grande inspirador do meu projeto. Eu li *O tempo e o vento* quando era adolescente e achei fascinante. Até hoje eu releio os volumes dessa obra – não na edição da minha adolescência, porque eu a perdi quando o Doi-Codi invadiu a minha casa, em São Paulo, e levou todos os meus livros. Não conheci Erico, mas vejam que curioso: ele foi o primeiro escritor brasileiro a dar aula em Berkeley e eu acabei convidado, 50 anos depois, para dar o mesmo curso lá, em comemoração ao cinqüentenário de sua passagem pela universidade. Fiz palestra para ex-alunos dele, todos idosos, claro; andei por onde ele andou, refiz o percurso de Erico em Berkeley. Depois conversei muito com o Luis Fernando [Verissimo, filho de Erico], que se lembra de quando o pai escrevia *O tempo e o vento*; ele era menino. A verdade é que o meu fascínio de adolescente pelo trabalho de Erico sempre foi algo forte. Quando reformaram o Arquivo Público do Pará – que hoje é um dos melhores do Brasil –, eu comecei a olhar para aquele país que existiu ali, o Grão-Pará, que tinha Belém como capital. Fui tomando conhecimento dessa história. A gente tem a tendência de achar que o século XIX é o do ciclo da borracha, mas não é. O ciclo da borracha é da República. Começa no século XIX, mas era, então, incipiente. Como ciclo econômico forte, ele é do século XX. Aí sim, foi um ciclo pujante, concomitante ao do café, só que acabou antes. Enquanto foi forte, contribuiu com 40% do PNB. Em relação ao século XIX, quer dizer, ao que aconteceu na Amazônia no século XIX, eu percebi, sempre se fez um silêncio completo. Por quê? É fácil entender. Todas as grandes crises do Império têm origem no Grão-Pará. Então, o século XIX da região ficou apagado na nossa memória. "Eu vou ter de reacender isso", pensei comigo. E assim começou o projeto. Com Erico na lembrança e a falta de memória do Grão-Pará no século XIX. Na realidade, só agora, com a abertura desses arquivos, é que os historiadores locais estão se debruçando sobre o problema.

Milton Hatoum: Você encontrou documentos sobre a revolta de 1835 nos arquivos de Belém? Ou teve de inventar a destruição da cidade, o cotidiano das pessoas e o horror da guerra? Como você vinculou a História com a ficção?

Márcio Souza: Os documentos estão em Belém – mas são todos políticos. A Inglaterra, por exemplo, cedeu os arquivos que tinha sobre o assunto para a Embaixada do Grão-Pará. Tudo o que existe nesse material são relatórios políticos. Não há documentos que falem, por exemplo, do cotidiano da cidade.

Cadernos: E quanto a relatórios militares?

Márcio Souza: Ah, sim, existem também, mas eles tratam especificamente do deslocamento de tropas, de bombardeios, esse tipo de coisa. O que não existe é algo como, por exemplo, o depoimento de uma mulher que tenha vivido naqueles dias; isso foi invenção minha para *Desordem*. Bem, é bom lembrar que não existe material assim no caso da Cabanagem do mesmo modo que não há nada nesse sentido a respeito da Revolução Praieira, da Confederação do Equador etc. O que eu fiz, para resolver o problema, foi levantar informações sobre cidades que viveram conflitos semelhantes, duas, três décadas de guerra civil. Eu pesquisei muito, por exemplo, na Biblioteca Nacional de Paris, que tem bom acervo sobre as guerras recentes nos Bálcãs. E me debrucei sobre textos jornalísticos. Mas um ficcionista tem liberdade para usar sua imaginação, claro, e me vali disso. De qualquer maneira, um traço como o da sexualidade exacerbada é algo de fato recorrente em cidades que foram sitiadas por longos períodos. A vida não valia mais nada, então o sexo era um estertor. Imaginem 15 anos de guerra civil numa cidade de 50 mil habitantes! O que isso afetou a vida... Tudo entrou em colapso, naturalmente. Ao mesmo tempo, eu não podia manter um prolongamento da história no mesmo patamar da luta política dos personagens. Eu tinha de manter um distanciamento. O protagonista de *Lealdade* é um sujeito irritante, mimado; é talvez o personagem mais complicado com que já trabalhei. Ele não é simpático, o que torna as coisas difíceis. É filho de uma geração cujos ideais se perderam, tem preconceito em relação aos pobres, enfim, um homem complexo, complicado de lidar, especialmente em se tratando de um protagonista.

Cadernos: Após recorrer ao uso de estruturas fragmentadas no início de sua carreira de romancista, o sr. parece ter optado por uma linguagem que vai na contracorrente dessa linha "formalista". Faz sentido, na sua opinião, pensar que hoje há um retorno da narrativa linear, do texto, digamos, "mais simples"?

Márcio Souza: Eu tenho para mim que um romance exige que você envolva o leitor em diversas camadas. Usando uma metáfora do teatro, é a "narrativa" que aparece para o leitor; é ela que está em cena, no espaço cênico. Mas fora isso, o cenário está sendo amparado por andaimes, há refletores que não aparecem etc. e todo esse material ajuda a criar a atmosfera da cena. Pois bem: tudo isso deve estar "escondido" também no texto literário.

Cadernos: Num romance experimental – por exemplo, estruturado a partir de uma narrativa fragmentada –, o pressuposto é o de um leitor mais participativo. Era isso que o sr. imaginava quando recorria a tal expediente?

Márcio Souza: É difícil, ao menos para mim, escrever pensando num leitor abstrato. É difícil, aliás, escrever para o leitor brasileiro. Quem é ele? Então, desde o início, eu sempre escrevi para certas pessoas que conheço, gente amiga, como Domingos e Socorro Demasi, Renan Freitas Pinto, Aldísio Filgueiras. Eles são os meus primeiros leitores. Demasi é jornalista; Socorro, mulher dele, é especialista em lingüística, agora está aposentada, mas foi professora da Universidade Federal do Rio de Janeiro; Renan é sociólogo, Aldísio, poeta. Eles todos são leitores exigentes, calejados. Para eu passar a perna neles não seria fácil. Então, se eu passo no crivo deles, eu passei no crivo de qualquer leitor, quer dizer, é nisso que acredito.

CADERNOS: Já se disse que um dos trunfos da sua ficção é conjugar, de modo convincente, fantasia e realidade. Isso, a ponto de em um romance como *A ordem do dia* (1983), objetos voadores não-identificados e vampiros se misturarem com órgãos repressivos reais do período da ditadura militar, por exemplo. O tom não é o da alegoria, mas, sim, o da irreverência que se alimenta do humor algo cáustico. Por que o sr. tomou esse caminho?

Márcio Souza: Na verdade, o que aconteceu foi o seguinte. Eu comecei a escrever o livro "a sério". Queria fazer um thriller de espionagem que desnudasse a ditadura militar. Queria ver até onde ela agüentava. Mas não achava o tom. Então, entrei num impasse. Um dia, fui autografar *A resistível ascensão do Boto Tucuxi* em Brasília, numa feira do livro. Sentei ao lado de um general reformado do Exército, Alfredo Moacyr Uchôa, que era dono de uma universidade particular no DF e tinha se tornado conhecido como um dos maiores ufólogos do Brasil. Ficamos conversando durante oito horas – e essa conversa mudou a perspectiva de *A ordem do dia*. Depois dela, eu vislumbrei como poderia desmontar a ditadura, me vingar da ditadura plenamente com a metáfora dos extraterrestres. O livro é debochado mesmo, de forma assumida. Quando ele saiu e vi que os militares não fizeram nada, percebi que a ditadura estava derrotada. *A ordem do dia* foi bem recebido pela crítica e vendeu razoavelmente aqui. Já nos Estados Unidos teve uma tiragem maior e uma repercussão melhor. Por causa desse romance, até hoje recebo publicações ufológicas. Aliás, aconteceu um episódio engraçado. Fui fazer um lançamento numa livraria de Ribeirão Preto, no interior de São Paulo, e, a certa altura, percebi que tinha um sujeito todo de preto encostado perto da porta. Já no fim da sessão, ele se aproximou de mim, se agachou do meu lado e disse: "Tenho uma mensagem de Quazgaa", que é um extraterrestre do romance. Eu: "Pois não". O sujeito: "Ele manda dizer que não gostou da utilização do nome dele no livro". Respondi: "Pois diga a Quazgaa que leia de novo. Pode ser que ele não tenha muita familiaridade com a língua portuguesa, mas o romance está saindo em inglês. Fale para ele ler de novo, pois assim vai notar que o personagem é bom, é positivo". O homem prometeu que daria o recado. E foi embora. Procurei o dono da livraria, para saber se ele conhecia o sujeito, se já o tinha visto por lá. "Que homem de preto?", perguntou. Ninguém tinha visto o sujeito, apesar de ele ter ficado horas em pé perto da porta e depois ter se agachado para falar comigo. Quazgaa é o nome de um extraterrrestre que teria seqüestrado uma bibliotecária no Meio-Oeste americano. Eu tinha lido isso durante as minhas pesquisas sobre ufologia e decidi usar o nome. O tal thriller, pensado originalmente, acabou saindo no meu livro seguinte, *A condolência*, publicado em 1984.

NEIDE GONDIM: *A resistível ascensão do Boto Tucuxi, A condolência, Operação Silêncio, O fim do Terceiro Mundo* e, num certo sentido, *A ordem do dia* apresentam, através da Amazônia, um retrato político e econômico do Brasil. Algo mudou? Esses romances ainda não envelheceram?

Márcio Souza: Não tenho como responder a essa questão, mesmo porque eu não volto a ler os meus romances.

CADERNOS: Até que ponto a realidade que vemos, sempre mediada por alguma forma de linguagem, constitui o "real"? É possível, em última instância, atingir o real?

Márcio Souza: Eu acho que o exemplo mais perfeito de livro realista e adequação de forma para atingir o real é *Vidas secas* [1938], do Graciliano Ramos. Eu estou falando da língua portuguesa. Como sabemos, o nosso idioma parece feito para a poesia. Os poetas estão em casa com a língua portuguesa. Já o prosador precisa usar um detector de minas, para saber se pode pisar aqui ou ali. Eu acho que essa foi a estratégia usada pelo Graciliano. O mais incrível é que a linguagem econômica do livro tem uma precisão ligada ao lado emotivo. Eu não sei se conseguiria fazer isso, mas ele conseguiu.

CADERNOS: Sua obra ficcional se pauta normalmente por fatos históricos, por questões sociais e políticas – em resumo, tendo como referência básica a sociedade. Qual é o espaço do subjetivo, do sujeito, da individualidade em seu trabalho?

Márcio Souza: Bem, eu não sei se, de fato, os meus livros são plataformas sociais exclusivamente; se a minha ficção é tão programática assim. *Galvez* não é, com toda a certeza. Mesmo um romance essencialmente político como *Operação Silêncio* é, ao mesmo tempo, o livro mais reflexivo que já escrevi. Os contos de *A caligrafia de Deus* estão centrados em estados de espírito dos personagens. E, até na tetralogia, a visão é individual dos protagonistas. Eu poderia ter optado, sobretudo nesse projeto, por fazer um painel, em que diversos grupos sociais se entrelaçassem, mas a estratégia acabou sendo a de narradores individuais. Então, eu acho que há, no meu trabalho, as duas coisas. Não tenho muita paciência para a literatura reflexiva, tenho respeito, mas não sou leitor desse tipo de literatura; ao mesmo tempo, reconheço que, se você fizer exclusivamente painéis históricos, colocará no papel algo frágil. O meu esforço é para que esses quadros históricos tenham um arcabouço psicológico, de maneira que o leitor possa perceber que ali há individualidades interagindo com as contingências daquele momento. Não são personagens-fantoches, que eu fico daqui manipulando para dizer algo. Os personagens-fantoches são monocórdios. Não são contraditórios, não são humanos. Um personagem como Fernando, de *Lealdade*, por exemplo, é extremamente contraditório, assim como a Simone etc. Eu não sei, mas o que posso dizer é que eu faço um esforço muito grande para alcançar esse equilíbrio.

NEIDE GONDIM: Marcada pela sensualidade – a belíssima cena do coito entre Ualri e Diádue, em *Jurupari, a guerra dos sexos* [1975], é um dos exemplos – sua obra realça, ainda, a figura feminina, como Joana, de *Galvez*. É uma homenagem ao país das amazonas?

Márcio Souza: Sim. No caso da peça *Jurupari, a guerra dos sexos*, trata-se especialmente de uma homenagem às mulheres. À superioridade delas em relação a nós, homens.

CADERNOS: Num artigo célebre, incluído no livro *A aventura literária*, de 1990, José Paulo Paes defendeu a necessidade de uma literatura nacional de entretenimento. Ele acreditava que, começando a ler livros destinados apenas a divertir, o brasileiro poderia acabar se interessando pela "alta literatura". Paes costumava invocar, na defesa dessa idéia, o seu próprio exemplo. O sr. acredita nessa tese?

Márcio Souza: Não. Eu não acredito que haja essa passagem – da literatura de entretenimento para a alta literatura. O leitor do livro descartável é de "mão única" – dificilmente ele consegue sair desse patamar de "exigência literária", digamos assim. Isso pode até acontecer, num caso ou outro, mas não é a regra. Seja como for, a inexistência de uma literatura brasileira de entretenimento, ou, pelo menos, a pouca produção nacional nessa frente se deve muito, eu acredito, a uma idéia do que seja o "texto literário" na América Latina. Você não tem escritores medianos de entretenimento, por exemplo, na Argentina. No México também não há. Nós estamos "condenados" à excelência na literatura.

CADERNOS: Muitos escritores são obsessivos – reescrevem os seus textos inúmeras vezes. Esse era o caso, por exemplo, de Otto Lara Resende e de Murilo Rubião. O sr. também trabalha assim?

Márcio Souza: Eu reescrevo, mas não sou obsessivo; se sofresse ao escrever, já teria mudado de profissão. Escrevo com grande facilidade. É um prazer. Eu me divirto muito. Claro que tenho senso crítico também. Existe um tempo de maturação daquilo que você escreve. Eu faço e depois vou tratando. Mas não de modo obsessivo. Eu não perco a alegria, entendem? Para mim, isso de ficar retrabalhando o texto representa um outro tipo de felicidade. De qualquer maneira, sou disciplinado. Romance é muito trabalho braçal também.

CADERNOS: Qual disciplina o sr. se impõe quando está produzindo um romance, por exemplo?

Márcio Souza: Eu escrevo todo dia, nem que seja um pouco. É como se o escritor fosse instrumentista. Você tem de tocar todo dia um pouquinho, senão terá de começar do zero. Quando digo "um pouco", estou falando até de cinco, seis linhas, antes de dormir. Se estou numa viagem longa, levo o meu *notebook*. Se for um trajeto curto, carrego o meu caderninho.

CADERNOS: Seus romances são marcados pela forte presença do diálogo. Nada mais natural, considerando o peso do teatro em sua obra – e também sua experiência como roteirista de cinema. Com essas credenciais, além de ter produzido um romance literalmente sob a forma de folhetim – *A resistível ascensão do Boto Tucuxi*, publicado na *Folha de S.Paulo* entre 1981 e 1982 –, o sr. nunca foi convidado a escrever para a TV? Aceitaria fazer uma telenovela ou mesmo uma minissérie?

Márcio Souza: O Dias Gomes [autor de telenovelas de sucesso como *O bem-amado*, levada ao ar pela Rede Globo, em 1973] me convidou várias vezes, mas, embora eu tenha esse hábito de escrever diariamente, nunca aceitei, porque não é a mesma coisa. Eu via o Dias trabalhando, aquela batalha dele ali, com a equipe, e pensava: "Não consigo". Tenho certeza de que não conseguiria.

MILTON HATOUM: A tetralogia *Crônicas do Grão-Pará e Rio Negro* tem no seu cerne a Cabanagem, uma revolta popular pouco explorada pela ficção. O que significou, para a Amazônia, a derrota dos cabanos depois de 20 anos de guerra civil?

Márcio Souza: Eu acho que o significado é mais amplo; atinge o país. Nós tínhamos ali, em luta, dois modelos: um, o do Vice-Reino do Brasil, depois Império do Brasil, que era uma sociedade monárquica, escravocrata, de grandes proprietários e com uma economia agroindustrial de exportação; e o outro modelo era o do Grão-Pará, que tinha como proposta um país republicano, democrata, com uma economia baseada nos pequenos proprietários agrícolas e na indústria, especialmente a de manufatura de borracha. O choque era irreconciliável. A derrota dos cabanos, a derrota do Grão-Pará, tem um efeito para a formação do Brasil comparável ao que seria uma vitória do Sul na Guerra da Secessão americana. A derrota do Grão-Pará foi a derrota do Brasil moderno; se o Sul – escravocrata, latifundiário – tivesse vencido, os Estados Unidos estariam igual ao Brasil. Ou seja, com a derrota dos cabanos, o Brasil é que saiu derrotado.

CADERNOS: Em 1999, o sr. se inscreveu e depois retirou sua candidatura à Academia Brasileira de Letras. Como foi esse episódio? Tem, ainda, vontade de ingressar na ABL?

Márcio Souza: Eu tenho bons amigos na Academia, que sempre insistiram para eu me candidatar. E, de fato, naquele ano tive interesse e apresentei a carta de candidatura. Só que isso coincidiu com a morte do meu pai. Eu era muito ligado a ele. Meu pai foi o meu grande mecenas. Eu tinha passado um mês em Manaus e, mal cheguei ao Rio, ele morreu. Fiquei muito chocado. Voltei para o enterro e fiquei sem ânimo para fazer a campanha. Então retirei a candidatura e pedi voto para o Ivan Junqueira, que só seria eleito numa segunda tentativa. Agora não tenho mais intenção de concorrer a uma vaga na ABL.

CADERNOS: O sr. começou cedo na administração pública. Como se deu a sua chegada a esse tipo de trabalho, que o acabaria levando a ocupar alguns dos postos mais altos na esfera da cultura brasileira?

Márcio Souza: Assumi a coordenação das edições do governo do Amazonas em 1965. Foi um emprego que consegui, por indicação de conhecidos, para tentar juntar dinheiro e sair de Manaus. Eu já tinha trabalhado em jornais, mas esse agora era um emprego que dava status. Eu trabalhava no Palácio do Governo. Em 1976, entrei para a Fundação Cultural do Amazonas, onde fui diretor de Planejamento durante poucos meses. Depois disso, nunca mais, até que em 1991, por indicação de Aspásia Camargo, então secretária de Cultura do Estado do Rio de Janeiro, recebi o convite de Affonso Romano de Sant'Anna, que estava à frente da Biblioteca Nacional, para ser diretor do Departamento Nacional do Livro. Depois, como vocês sabem, fui presidente da Funarte, na gestão de Francisco Weffort no Ministério da Cultura, durante o governo Fernando Henrique Cardoso. O que pude perceber dessa experiência é que não se pode fazer muita coisa. Em primeiro lugar porque as gestões são individualizadas – não há continuidade – e, depois, porque existe uma política de Estado, estabelecida a partir de 1937, e que não mudou até hoje, que é patrimonialista.

CADERNOS: Alguns gigantes do mercado editorial estrangeiro têm se instalado no Brasil. O país é um bom lugar para se explorar o produto livro? Por quê?

Márcio Souza: De fato, grandes editoras têm vindo para cá, todas de língua espanhola, porque havia a expectativa de adoção do espanhol como segunda língua aqui no Brasil. Esse teria sido, na minha opinião, o maior atrativo. Só que, agora, eles estão vendo que a coisa é mais complexa. O universo de 3.000 livros – tiragem de praxe no país – é absurdo. Há todo o problema de alfabetização e de formação do público para a leitura. Milhares e milhares de brasileiros, com enorme esforço, chegaram à faculdade particular, trabalham, mas ainda têm um salário péssimo – e é claro que a prioridade não vai ser o consumo de livros. Acredito que eles até gostariam de ler mais, só que não têm recursos para ficar comprando livros. Daí a importância das bibliotecas públicas. Aliás, é uma importância dupla: seja porque as pessoas não podem comprar as obras, seja porque, se comprassem, teriam dificuldades para guardá-las em casa. Os apartamentos hoje são minúsculos; se você põe 15 livros, já começa a faltar espaço.

CADERNOS: Qual a sua posição diante do problema das reproduções xerográficas de livros no Brasil?

Márcio Souza: Na Alemanha, por exemplo, existe o que eles chamam de "direitos menores". Até consulta em biblioteca eles computam. No fim do ano, aquilo dá um dinheirinho para a editora e para o autor, naturalmente. No caso de cópias xerográficas, existe na Europa uma taxa que as empresas de xerox pagam para o governo, que usa esse recurso para a promoção de jovens autores, para campanhas de leitura etc. Nos Estados Unidos, as universidades podem fazer apostilas a partir de cópias de livros, mas pagam direitos autorais por isso. Digamos que algum professor queira copiar 25 páginas da edição inglesa do *Galvez*. A empresa de reprografia que atua dentro da universidade se encarrega de ligar para o editor que me publica lá, a conta é feita e os direitos são pagos para mim e para ele.

CADERNOS: Temos visto nos Estados Unidos, com a Google, e na Europa, a partir de um consórcio de empresas, uma predisposição em se colocar na internet um cânone do que existe de mais importante nas melhores bibliotecas do mundo. A Google chegou a pro-

meter, para dentro de seis anos, a oferta de milhões de títulos para consulta remota. Os que já se encontram em domínio público poderão ser reproduzidos sem problema. Como o sr. vê essa tendência?

Márcio Souza: Isso é fantástico. E eu acho que, com esse tipo de oferta mundial, o Brasil vai, mais uma vez, dar um salto qualitativo, a despeito de sua classe dominante e das políticas de Estado. O único risco que nós corremos é que a participação de obras em língua portuguesa nesse cânone seja inexpressiva. Hoje, já existem bibliotecas gigantescas disponíveis na web, como a do Projeto Gutenberg, criado nos Estados Unidos, que tem textos, em sua maioria, de domínio público – mas não só.

CADERNOS: Aproveitando o tema, como o sr. se posiciona diante do debate sobre direitos autorais – não só literários – na internet? Nos Estados Unidos, a partir, salvo engano, de uma iniciativa da Universidade de Harvard, surgiu uma proposta de se criar certos gradientes e, desse modo, democratizar o acesso à criação artística, intelectual. Seria algo assim: numa efeméride relacionada à cabanagem, por exemplo, um volume da sua tetralogia sobre o tema ficaria disponível por um tempo "x" na web. Qual a sua opinião a respeito do assunto? Nessa proposta estaria embutida a idéia de que o trabalho artístico é algo de "segunda grandeza", já que poderia ficar na internet, de graça, durante um período, para quem quisesse copiá-lo, imprimi-lo etc., o que não se cogitaria sugerir, digamos, para uma patente industrial?

Márcio Souza: O Windows 2005 poderia ficar durante o mês de aniversário da internet de graça na rede para todo mundo? A rede não é uma terra de ninguém. Ela é bastante livre, mas pode ser controlada – como é, aliás. Existem mecanismos para você controlar o acesso a certos conteúdos. Então, esse deve ser o tratamento dado ao trabalho artístico.

CADERNOS: O sr. usa a internet em suas pesquisas?

Márcio Souza: Uso.

CADERNOS: O sr. já viveu apenas de direitos autorais? Continua vivendo? Qual o "segredo" para essa verdadeira façanha, rara entre os autores brasileiros?

Márcio Souza: Eu vivo de direitos autorais. Qual o "segredo"? Em primeiro lugar, é preciso "baixar um pouco as expectativas". E é importante também ter muitos livros editados fora.

CADERNOS: Quando o sr. sentiu que sua obra tinha alcançado uma dimensão que já lhe seria possível se firmar como um escritor profissional?

Márcio Souza: Isso aconteceu logo que *Galvez* começou a sair bem.

CADERNOS: Algo incomum de acontecer no caso de um primeiro livro de ficção.

Márcio Souza: É verdade. Bem, eu disse que vivo de direitos autorais, mas é preciso explicar. Estou querendo dizer que vivo do que escrevo. Então, não é só dos livros que vendem nas livrarias. Dou cursos, palestras. Se passo uma temporada dando um curso numa universidade americana, isso já me garante um período – seis meses, um ano. E é claro que se recebi o convite foi por aquilo que escrevi e publiquei. Claro que passei todos aqueles anos no governo recebendo um salário mensal. Quando deixei a Funarte, voltei a dirigir o Tesc, o grupo de teatro do Sesc de Manaus. Mas minha sobrevivência é garantida pelo que escrevo – e já escrevi.

CADERNOS: A Amazônia é o tema principal de sua obra, objeto de seu interesse sistemático não apenas como ficcionista, mas também quando se dedica ao ensaio. Como o sr. resumiria o problema da Amazônia na atualidade?

Márcio Souza: Eu acho que não existe um "problema da Amazônia". O que há é um "problema nacional": não se consegue estabelecer uma estratégia integral para o país, um projeto de nação. Sem isso, você não inclui nada, nem uma região. Se você aceita que exista um "problema na Amazônia", tem de admitir um "problema do Sudeste", um "problema do Sul" e assim por diante.

Cadernos: Mas qual a especificidade da questão amazônica? Há, claro, problemas por todo o Brasil, mas o que singularizaria a Amazônia?

Márcio Souza: Temos diversas Amazônias. O que vale para o sul da Amazônia não vale para a região dos grandes rios, a região montanhosa. A Amazônia é um subcontinente de muitos contrastes, que tem geleiras eternas, o maior pico do Brasil, e ao mesmo tempo, o maior rio, a maior floresta equatorial, entendem?

Cadernos: Esse caráter, naturalmente, só faz aumentar a complexidade da questão.

Márcio Souza: Sob esse ângulo, sim, pois são muitas as possibilidades. Vamos falar do desenvolvimento econômico. Não é possível falar numa solução única. Na época da ditadura, os militares até tentaram uma "subdivisão de soluções", só que foram propostas desastrosas.

Cadernos: O sr. acredita na possibilidade de se chegar a um equilíbrio entre preservação da floresta amazônica e exploração do potencial econômico da área?

Márcio Souza: Claro que isso é possível. No final do século XIX, quando a Amazônia estava vivendo o seu auge, três países se encontravam numa situação deplorável, porque tinham devastado toda a sua floresta – Dinamarca, Noruega e Suécia. Os suecos tiveram até de fazer propaganda antiamericana para tentar conter a onda de imigração para os Estados Unidos. O que é que essas três nações fizeram? Elas se debruçaram para conhecer a floresta de tundra, a floresta conífera. E hoje a economia da Suécia, por exemplo, continua forte no extrativismo, porém o que existe é um relacionamento não-destrutivo com o meio ambiente. Ou seja: é possível, sim. Mas precisamos de uma investigação científica, de um investimento maciço para chegarmos aonde os nórdicos conseguiram. Agora, é claro que a floresta amazônica é muito mais complexa.

Cadernos: O governo de George W. Bush tomou, em 2001, a decisão de não acatar as determinações do Protocolo de Kyoto. Sem a ratificação dos EUA, o acordo fica bastante comprometido, dado o seu peso na emissão de gás carbônico (no plano dos países industrializados, os americanos são responsáveis pela emissão de 40% dos gases que provocam o efeito estufa; em âmbito mundial, respondem por 21%). De que modo o conjunto das nações poderia conseguir a adesão dos Estados Unidos ao Protocolo? O sr. crê nessa possibilidade ou, depois da invasão do Iraque, teria ficado claro que o governo americano – ao menos o de Bush – não cederá a nada que não lhe interesse?

Márcio Souza: Eu acredito que em termos de meio ambiente George W. Bush ainda é mais voluntarista do que nessas atitudes unilaterais. No caso da Guerra do Iraque, hoje ele já reconsidera. Mas, na parte ambiental, não se pode esperar nada.

Cadernos: Depois de uma certa trégua, o tema da internacionalização da Amazônia voltou a preocupar o governo brasileiro. O pressuposto de países como a França, por exemplo, é de que a Amazônia, a maior reserva de água doce do planeta, para não falar de sua incrível biodiversidade, é um patrimônio mundial – portanto, não deve ser gerido somente pelo Brasil (onde ficam 65% da Amazônia continental). Como o país dá mostras sucessivas de não conseguir frear os ataques àquele tesouro da natureza, a reivindicação por uma gestão internacional naquela área do território brasileiro soa como algo coerente. Duas perguntas: Qual a sua posição diante do problema? Como o Brasil poderia responder aos "internacionalistas"? Vale lembrar que nações como o Canadá e a Rússia não vinculam o controle internacional de suas florestas a um ataque às suas respectivas soberanias.

Márcio Souza: Essa é uma coisa complicada de você levantar para nós, os nativos da região amazônica. Fomos anexados ao Brasil depois de termos quase metade da nossa população assassinada. Desde 1840, quando, efetivamente, a Amazônia vira Amazônia, o tratamento dado à região não tem sido lá grande coisa. Portanto, a popularidade do Brasil lá não é muito boa. Então, é bom a gente não entrar nessa discussão porque, de repente, se você fizer um plebiscito, é capaz de o pessoal nativo preferir um mandato internacional.

NEIDE GONDIM: O Márcio autor de romances e peças de teatro é diferente quando o tema é extraído de mitos do vale do rio Negro. O drama *A paixão de Ajuricaba*, a tragédia *Jurupari, a guerra dos sexos*, a comédia moral para crianças *A maravilhosa história do sapo Tarô-Bequê* [1975], *Contatos amazônicos de terceiro grau* [1978] e a ópera *Dessana, Dessana* – escrita em parceria com Aldísio Filgueiras – compõem a sua dramaturgia indígena. *Jurupari* e *Dessana* abordam dois mitos complexos. Você explica, em *Jurupari*, que "o espaço cênico deve adquirir grande mobilidade", pois, fiel ao mito, apresenta povos "com um elevado sistema cultural e um elaborado universo simbólico". Que dificuldades você encontrou aos transpor esses mitos para a ação teatral? Em *Contatos imediatos*, peça em um só ato, você conduz, semioticamente, o espectador, quanto ao futuro dos autóctones, para o *Réquiem* [1791] de Mozart. Apesar de seu trabalho solitário e inovador relacionado à apreensão de uma consciência crítica brasileira, nacional, ao trabalhar artisticamente os mitos ameríndios você ainda nutre alguma esperança de sobrevivência desses povos?

Márcio Souza: Os povos indígenas souberam se organizar nos últimos 30 anos e começaram a reverter um pouco a sua caminhada para o extermínio. Curiosamente, a sociedade globalizante é também aquela que ressalta a cultura das aldeias. Além do mais, se de um lado as sociedades humanas parecem cada vez mais mergulhadas na desigualdade, há também o esforço para universalizar as conquistas relacionadas com os direitos humanos, que deixaram de ser burgueses para se tornarem de toda a humanidade. É nessa exígua fronteira entre barbárie e civilização que as etnias tribais do Brasil e de outras partes do mundo poderão vir a sobreviver.

MILTON HATOUM: Mais da metade da população indígena brasileira vive na Amazônia. Além disso, a tradição indígena em Manaus ainda é significativa. Você não acha que a cidade deveria ter um museu de antropologia?

Márcio Souza: Sem dúvida. Realmente temos mais da metade dos índios do Brasil. O Alto Rio Negro é todo indígena. Hoje, os índios da região são alfabetizados e poliglotas. Dos idiomas ocidentais, são fluentes em português, espanhol e inglês e, além disso, falam no mínimo três línguas indígenas. Noutro dia eu estava conversando com uma advogada tucano. Ela estava lá na Assembléia Legislativa, reivindicando um aumento para os professores. A articulação dessa menina era algo impressionante. E ela continua vivendo lá, na sua aldeia.

CADERNOS: Os políticos da região ainda não descobriram isso?

Márcio Souza: Mas eles são políticos! Eles se candidatam, se elegem. Os prefeitos e vereadores de lá são todos índios.

CADERNOS: Quando foi assassinado, a 22 de dezembro de 1988, o seringueiro Chico Mendes era um líder de ressonância internacional, capaz de influenciar, como fizera no ano anterior, o Banco Interamericano – BID a suspender um financiamento que permitiria a extensão da BR-364 até o Acre, porque isso, ele sustentava, traria prejuízos enormes para os trabalhadores. Foi uma morte anunciada: um mês antes Chico disse saber que seria morto, mas queria viver, pois "ato público e enterro numeroso" não iriam "salvar a Amazônia". Quase 17 anos depois do episódio, como o sr. analisa o temor do seringalista quanto ao destino de sua região?

Márcio Souza: O Chico ia ser governador do Acre, não tinha conversa. Então barraram o caminho dele. A morte de Chico Mendes foi mais uma questão política local. Agora, Chico era um homem do mundo da borracha e sabia que seringueiro é uma profissão em extinção.

NEIDE GONDIM: Dificilmente será encontrado um escritor com uma obra tão abrangente como demonstra a sua produção intelectual. Você transita do mito para o vaudeville, da ficção científica para o conto, do ensaio para a História, da biografia para a tradução; escreve artigos para jornais; dirigiu filmes e continua a atuar como diretor de teatro. O que ainda falta para complementar esse mapeamento – iniciado com temas amazônicos, sempre recorrentes – em direção a um maior conhecimento do Brasil?

Márcio Souza: Não sei. Não tenho a ambição da abrangência. E nem tinha me dado conta do que você expõe. Cada gênero parece ter sido escolhido para dar mais eficiência e verossimilhança ao trabalho. Hoje já não posso imaginar a peça *As folias do látex* de outra forma que um vaudeville, nem o romance *A ordem do dia* sem os seus Ufos e o clima de ficção científica. No fundo são todos gêneros populares, tidos como menores, mas que me agradam muito.

CADERNOS: Que notícias o sr. daria da nova literatura amazônica? E o que diria aos representantes dessa geração de autores baseados no Norte – e para os que estão em outras regiões do país?

Márcio Souza: Sobre a literatura da Amazônia, o importante é entender que ela sempre teve uma participação de primeira grandeza na formação da literatura brasileira. Foi a Amazônia, por meio de Inglês de Sousa, que fez o Brasil conhecer o naturalismo. Aliás, o ciclo do cacau de Inglês de Sousa antecipa, de certo modo, o realismo nordestino. A Amazônia também contribuiu com a crítica – refiro-me principalmente ao trabalho de José Veríssimo. E, mais tarde, com o palco: Benjamin Lima foi encenado com sucesso no Rio de Janeiro, onde criou a primeira escola de teatro do país, a Martins Pena, que existe até hoje. Depois, a região produziu ficcionistas como Dalcídio Jurandir e Haroldo Maranhão, poetas do peso de Max Martins, Élson Farias, Tiago de Melo. Mais recentemente revelou um romancista como Milton Hatoum. Ou seja: sempre tivemos e ainda temos uma participação de alto nível. E reconhecida: sempre que surgem valores por lá, eles são muito bem recebidos pelo resto do país. Isolamento literário, portanto, não existe pelo menos desde o século XIX. Provavelmente, o próximo grande passo será a consagração das literaturas produzidas pelos escritores indígenas, que começam a aparecer. Por enquanto, eles estão reproduzindo os seus mitos, o seu universo mítico. Ainda estão na "fase homérica". Mas no futuro estarão escrevendo romances, biografias. Assim, eu diria para as novas gerações terem em mente que não estão surgindo do nada. Estão surgindo dentro de um contexto, de uma história. Claro que têm direito de matar os "pais espirituais" – mas com a consciência de que estão mergulhadas numa trajetória muito rica. Não existe propriamente "literatura amazônica"; existe "literatura brasileira que é escrita na Amazônia". Por fim, diria ainda aos novos de qualquer região: tenham paciência. O escritor é impaciente por natureza, eu sei; quer ser editado, quer ser lido logo. Nem sempre isso é possível. É difícil em qualquer parte do mundo – não só no Brasil.

Amazônia

Fotos do Amazonas, Acre, Amapá e Pará: Edu Simões/IMS, 2005
Identificação dos locais à página 171

AdeS
Novinil

EDVAN

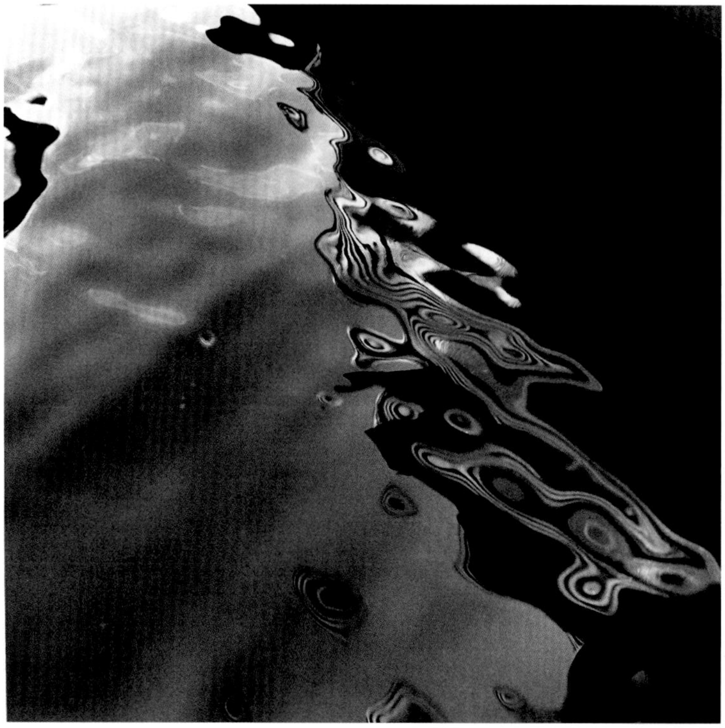

Nº44
LANTERNA DOS AFOGADOS
CHURRASCO C/BAIÃO
TEMOS
SKOL
CERPA
ANTARC.
N.SCHIN
REFRI.
DOURADA
PESCADA
BISTECA
FRANGO

R$99,90

Cte MEDEIROS

Fotos de Rondônia: Pedro Martinelli, 1998

A vida e a prodigiosa aventura de dom Luiz Galvez Rodrigues de Aria nas fabulosas capitais amazônicas e a burlesca conquista do território acreano não nasceram contadas com a economia de meios e o estilo modernista que arrebataram os leitores desde que se tirou à estampa o romance de estréia de Márcio Souza.

A versão original de *Galvez, imperador do Acre*, datada de 1968, devorou 300 folhas de um caderno pautado, coberto ao longo de dois anos pela caligrafia ligeiramente inclinada do autor, substituída em 1971 por uma velha Remington portátil, em cujo teclado, Márcio – virtuosístico – tocaria o seu livro até atingir a marca de 800 laudas. Em sua forma definitiva, que ganhou corpo no primeiro semestre de 1976, o mesmo ano do lançamento, a obra ficaria com pouco mais de 200 páginas.

Como todo manuscrito literário que se preze, o de *Galvez* é um tesouro. Em 1997, foi adquirido pela Universidade Federal do Amazonas, com outros textos do escritor, fotos e documentos diversos.

Nesta seção, algumas de suas preciosas folhas vêm à tona pela primeira vez. O trecho, cedido por Márcio Souza, traz, de modo estúrdio, o início da história do protagonista, que no fim do livro morre na cama, de velhice, após furtar o passado da alacridade das memórias e da sisudez das autobiografias.

Ainda não é, como se apontou antes, a chegada do Amazonas a 1922, a sombra de Oswald de Andrade estendendo-se sobre os seringais, síntese dos delírios do extrativismo. Mas como o látex, cujas folias o inspiram, o manuscrito constitui a genuína seiva de *Galvez, imperador do Acre*.

GALVEZ
IMPERADOR
DO ACRE
NOVELA

Aos muitos ilustres e valorosos campeões, cavaleiros da tradição e outros que voluntariamente lutaram contra a natureza na região amazônica, e construíram uma civilização peculiar nos trópicos, e suas damas fiéis, queremos narrar para suas horas de lazer, essa singela aventura do nobre fidalgo Luiz Galvez, não por êle que era modesto, mas pelo grande feito que foi nos mostrar a maravilhosa era da borracha e a amazônia como grande olimpo alucinante do Novo Mundo. E a aventura de Luiz Galvez não teve paralelo, encontrando-se hoje recoberta pela pátina dos anos de decadência e abatimento. Queremos, então, ao por essa obra frente ao julgamento de tão seleto público, fazer novamente brilhar os ânimos alquebrados, com ~~essa~~ a experiência de um ciclo histórico que com tantos fulcros nos marcou a sensibilidade.

Essa aventura desenrolou-se nos velhos tempos, que os americanos chamam de good old days, e por isso nos chega, por entre as certezas históricas, mesclada com aquilo que o imortal Bilac afirmou ser o manto diáfano da fantasia.

Pedimos desculpas por alguma palavra forte ou cena incoveniente, mas fomos inclinados a considerar isso como um acento peculiar da época, portanto elemento sólida do reconhecimento do passado hoje já distantes, mas que marcam o princípio de tantas coisas que agora mal começaram a surgir.

2

Alem do equador
tudo é permitido.
proverbio seiscentista portugues.

Nem tudo.
Luiz Galvez, deposto.

De como o fidalgo conheceu um cavalheiro importante, e suas primeiras aventuras na cidade dos mangueiros.

I

A lua de Setembro era apenas um brilho fosco e derramado pelo límpido céu, contra a sillueta do mercado já movimentado aquela hora da madrugada. As ruas estavam mornas, de casas assobradadas e escurecidas, apesar do lampião de gaz atrair centenas de pequenos borboletas que aturdidas caíam no calçamento como granizo mole. A brisa que vinha do mar amainava o calor mas reunia um cheiro denso da vazante com os odores de mofo que emanavam das casas, lojas, armazens e bordéis. A fumaça dos cigarros pairava no ar alguns instantes antes de se dispersar.

O movimento era pequeno, mas os notívagos atravancavam-se nas próprias bebedeiras, e depois desapareciam nas esquinas entre cantorias e suspiros.

Dom Ulisses Santivañes, ou Santivañes, como era conhecido em Belém, caminhava distraído, aborrecido e solitário, aborrecendo-se ainda mais com a monotonia sempre igual destas noites de fim de século. Desde alguns anos, o comércio da borracha havia demonstrado uma tendência ao enriquecimento fácil, e tornara a Amazônia um parque de lutas ideal. E nas duas grandes capitais, a dissipação da riqueza se fazia com uma ostentação que nem a mais rica imaginação conseguiria livrar da monotonia repetitiva. E se pecava por falta de imaginação. Por isso, Santivañes estava cansado e não se contentava mais em beber nos cabarés apinhados, e preferia caminhar pelas ruas, perseguindo alguma coisa de diferente. Aos domingos o movimento era maior e havia sempre um grande numero de retirantes nordestinos, faces macilentas, a mendigar um favor mudo dos opulentos frequentadores dos ruidosos saraus e operetas. Então Santivañes ia até o fim da Av. Portugal, e saindo do

4

ardor das ruas, sentava-se num banco de pedras e contemplava até o alvorecer, o movimento das luzes nas águas da Baia de Guajará.

Naquela noite de Setembro, condenado pela repetição da província, Santivañes caminhava friamente, manejando a bengala prateada que regularmente ia batendo no mármore da calçada. Via os bêbados pronunciarem discursos silenciosos, via as prostitutas serem abordadas por seringueiros de folga ou livres para o esbanjamento, e os retirantes amontoados em família pelas esquinas. ~~Seguia~~ Seguia no meio disso tudo como que escondido. E tanto se sentia escondido, que não notou os três homens que o seguiam, armados de cassetetes.

Os três homens esconderam-se no vão escuro de uma porta de armazém, e esperaram que o vulto de Santivañes, vestido de terno branco, se aproximasse daquela zona escura e deserta.

Revolta

NA PLANÍCIE DO ESQUECIMENTO: A GRANDE FALHA AMAZÔNICA

Francisco Foot Hardman

Há cerca de quatro décadas Márcio Souza vem atuando como autor em vários planos da produção artística, cultural e literária. Conhecido mais como prosador de ficção, modalidade literária que o consagrou, a partir do final dos anos 1970, embora representando pouco menos da metade de seus livros publicados, sua obra diversifica-se nos domínios do ensaio e da dramaturgia, sem falar da importante atividade como cineasta no primeiro decênio de carreira. Boa parte do que produziu concentra-se sobre temas da região amazônica, apesar de tal tendência nunca se configurar como marca exclusiva.

Assim, de seus 12 livros de ficção (11 romances e um de contos), pelo menos quatro tratam de temática da política nacional, vinculada ao período da ditadura militar. De suas 11 peças teatrais reunidas e editadas pelo autor em 1997*, em três volumes, cinco compõem seu teatro indígena e quatro falam da *belle-époque* do ciclo da borracha e do populismo na Amazônia, mas duas encenam tramas farsescas, políticas, da fase ditatorial brasileira. Entretanto, no conjunto de seu teatro sobressai clara ênfase no indianismo militante e regionalista, posição que reafirma em dois prefácios-manifestos da edição separada de três peças em *Teatro indígena do Amazonas* (1979), como também no ensaio engajado "A questão do teatro regional" (1981) e no balanço de sua experiência atuante no grupo Tesc, o Teatro Experimental do Serviço Social do Comércio de Manaus, entre 1968 e 1982, neste ensaio-memória que é *O palco verde* (1984). O autor confere, certamente, tanta relevância ao teatro regional em sua

* As informações completas das obras utilizadas no presente ensaio encontram-se na "Bibliografia" deste texto.

militância político-cultural que, ao reeditar, em 2003, seu belo ensaio *A expressão amazonense* (1977), talvez a mais importante síntese de sua concepção estético-ideológica, além de novo prefácio sobre o impasse histórico da Amazônia, após o anexo "A experiência teatral no Amazonas".

Em sua filmografia encontra-se a direção de um longa-metragem baseado em romance canônico do naturalismo regional amazônico (*A selva*, 1972, adaptação do livro homônimo de Ferreira de Castro, de 1930), mas de seus 12 curtas-metragens, pelo menos quatro são experimentais-modernistas sem referência à paisagem local. Não poderia ser diverso. Sua formação cinéfila foi necessariamente cosmopolita. Disso nos dá testemunho o seu interessante e hoje raro volume de estréia, *O mostrador de sombras* (1967), justamente de críticas juvenis de cinema, em que, ao lado do artigo de balanço da cinematografia nacional, com elogio destacado a *O padre e a moça* (1965), de Joaquim Pedro de Andrade, e de um manifesto pró-cinema amazônico, há outros nove ensaios em que dominam a tela a produção italiana (do neo-realismo a Luchino Visconti, Michelangelo Antonioni e Federico Fellini), o cinema europeu de horror (do expressionismo alemão ao *film noir*), Ingmar Bergman e, com muito realce, "o profeta" Luis Buñuel.

Nos quase 30 títulos de prosa não-ficcional de Márcio Souza que levantamos, há apenas uma quarta parte dedicada predominantemente a temas gerais ou nacionais, sendo clara, portanto, a larga maioria de textos ligados ao universo amazônico ou, mais restritamente até, amazonense. Mas o próprio autor buscou sempre assinalar sua qualidade de voz expressiva e representativa, na cena artística, literária ou genericamente intelectual, daquela região (algumas vezes, deliberada ou involuntariamente identificada com o estado do Amazonas). Em exemplo significativo, na segunda edição revista e ampliada de seu bem equilibrado compêndio *Breve história da Amazônia*, feito como ensaio paradidático de modo a alargar luzes em torno ao impasse regional e lançado inicialmente em 1994, o escritor acresceu, como subtítulo, que consta da ficha catalográfica do volume, bem ao gosto folhetinesco que tanto explorou em outros romances e peças: *A incrível história de uma região ameaçada contada com o apaixonado conhecimento de causa de um nativo*. Além disso, nessa reedição de 2001, introduz uma epígrafe de um mito tucano da criação do universo, transcrita em nheengatu e vertida ao português: "Quando não existia nada, foi assim que começou o começo". Acréscimo reforçado, também, no final do livro, pela inclusão de um tópico "Crises da modernidade" que se encerra, a modo insólito, com longa citação em itálico, de três páginas, de "Um mito da criação: os sopros", baseado na tradição oral dos índios tarianas.[1]

Igualmente no ensaio *Pico da Neblina – Origens de nossa civilização* (2001), um dos três escritos para compor em álbuns com as imagens fotográficas de José de Paula Machado, temos esse retorno a mitos de criação do mundo envoltos na paisagem amazônica. Ou, ainda, na busca de ancestralidade até então insuspeitada, como no exercício genealógico que leva a suas raízes familiares hebraico-amazônicas, aproximando-o do escritor gaúcho Moacyr Scliar, este sim já há muito abraçado ao tema literário da imigração judaica na região Sul.[2] Parece que a obra de Márcio Souza, então, descreve movimento à maneira de parábola que guardasse enorme força centrípeta, saindo rumo a certo reconhecimento do país, nos anos 1970-80, e refluindo, pouco a pouco, na segunda metade dos 90 até a entrada neste século, para nova imersão na "Amazônia profunda". Aquela que, antes do mito, e das cristalizações homogeneizantes, guarda histórias perdidas, portanto nem *à margem da*, nem *sem história*, conforme as imagens de Euclides da Cunha, em 1909, que, se bem que atrativas em seu forte poder sugestivo, estavam marcadas pelo pólo dominante do Estado e da sociedade brasileira.

O atual projeto ficcional do autor de *Galvez, imperador do Acre* (1976, primeiro romance) e *Mad Maria* (1980), ambos ambientados nos anos inaugurais do século XX, mostra-se ambicioso na empreitada, retrocedendo historicamente, agora, ao longo período compreendido entre 1783 e 1840. A começar de *Lealdade* (1997), até o ainda inédito *Derrota*, passando por *Desordem* (2001) e o recente *Revolta* (2005), pretende-se completar uma tetralogia que tem por título geral *Crônicas do Grão-Pará e Rio Negro*, acompanhando as raízes do que seria a interrupção violenta de um processo autônomo de desenvolvimento histórico da hoje região Norte do Brasil. Esses romances, embora valendo-se à larga de procedimentos ficcionais, não podendo sequer, a nosso ver, serem chamados de históricos, possuem, ao mesmo tempo, laços orgânicos indeléveis com uma releitura da história e com uma encenação política da Amazônia, dentro de um sentido forte de projeto autoral, logo entrevistas no destaque dramatizante que desponta no rodapé da capa de *Lealdade*, na edição original – *Um país morreu para o Brasil nascer.*

Este "país", antigo estado do Maranhão e Grão-Pará e, depois, Província do Grão-Pará e Rio Negro, revela-se sem dúvida como a razão de ser da obra de Márcio Souza. Sua ficção, conforme pretendemos argumentar aqui, não se sustenta por si só, como forma discursiva independente, mas permanece estruturalmente caudatária de suas, por igual decisivas, experiências nos campos do cinema, do teatro e do ensaísmo político, histórico e cultural. Herdeiro assumido de linhagem intelectual vasta e contraditória, que remonta, no século XIX, ao naturalismo de Inglês de Souza e ao socialismo reformista de José Veríssimo, passando, no século XX, pelas invenções literárias da paisagem regional em Alberto Rangel, Euclides da Cunha, Gastão Cruls, Raimundo Moraes, Peregrino Júnior, entre outros, e já mais proximamente, pela inspiração direta de Gebes Medeiros, no teatro, de Araújo Lima, no ensaio de síntese interpretativa, de Djalma Batista, na instituição literária e, finalmente, de Arthur César Ferreira Reis, na política amazonense e na historiografia regional-nacionalista, o manauara Márcio Souza tem reiterado sua deliberação em seguir à risca a perspectiva de uma cultura amazônica antineocolonialista.[3] Sua obra veio à tona e se consolidou como manifestação literária a mais representativa dos impasses históricos e contemporâneos da Amazônia brasileira, pelo menos desde o instante em que o grande romancista marajoara Dalcídio Jurandir (1909-1979) publicava, em 1978, *Ribanceira*, décimo e derradeiro romance desse extensíssimo ciclo ficcional do Extremo Norte, começado havia quase 40 anos, em 1941, com *Chove nos campos de Cachoeira*.

Em contraste com quadros pintados invariavelmente em ritmo lento, com paisagens e personagens bem definidas em suas cores declinantes, que anunciam decadência sem exaltações abruptas, presentes nas narrativas do escritor paraense, cujo tempo não é estático mas escoa como ampulheta vista a distância, já no amazonense, desde o início, o fragmento, a paródia, a farsa folhetinesca, o drama rebaixado a cenas de vaudeville, entremeadas da violência que se mostra na disrupção do grotesco, do obsceno ou até do abjeto, enfim, ocupam o centro da fábula e os modos, tanto do roteiro cinematográfico quanto das marcações cênicas do teatro, e muitas vezes se sobrepõem ao modo romanesco do desenrolar da trama. Qualquer que seja a avaliação crítica que se tenha sobre os resultados desiguais que tais procedimentos literários produziram na prosa ficcional de Márcio Souza, é forçoso reconhecer sua recusa a padrões realistas ou naturalistas convencionais de representação, por viver aquela urgência de inovação formal, própria, em boa medida, à sua geração. Debatendo-se com o relativo esgotamento daqueles modelos narrativos em face da crise das vanguardas estéticas modernas e ante os desastres históricos que a ordem burguesa desencadeara, na "era dos extremos", em escala mundial, era preciso, ao menos, escapar de escolhas ingênuas ou das armadilhas costumeiras dessa mímese que se neutraliza em arte da auto-referência complacente. As regiões e localidades, mesmo as mais insulares, não se mantinham incólumes ao avanço dos choques entre culturas díspares e historicidades antagônicas. Como evitar, ao mesmo tempo, o nacionalismo xenófobo e regressivo, o regionalismo do ressentimento e da reificação do exótico e o globalismo do mercado de cidadanias pós-coloniais? Como produzir e transmitir liberdade efetiva dos imaginários periféricos para além das "nacionalidades (e regionalidades) espectrais"?[4]

•••

Na busca de uma expressão amazonense "autêntica", mesmo sabendo conter tal expedição sérios riscos de fracasso, não resta dúvida de que Márcio Souza privilegiou sua experiência com o Tesc: em especial as peças que escreveu como encenação de mitos e culturas indígenas, sob claros eflúvios do espírito dos movimentos de maio de 1968, sob o signo do conceito de nacional-popular. Ora, o maior problema desse indianismo redivivo, que evidentemente tentava recusar a via da idealização do conservadorismo romântico, estava em ajustar a ficção ao documento, na mesma linha que o autor propugnava, em paralelo curioso, naquela conjuntura, para o cinema amazônico:

> O cinema brasileiro não conhece a Amazônia, a grande região permanece esquecida, ou, quando muito, olhada com certo espírito de mistério e encantamento. Perdurando esse encantamento mentiroso de raízes românticas, os problemas verdadeiros permanecem soterrados. Na Amazônia vemos claro, tão claro que atemoriza, a realidade profunda da natureza, a sua dialética que é intrínseca ao seu movimento. Em nenhum lugar do Brasil, talvez seja tão evidente, tão visível, a luta diária do homem contra a natureza. O rio querendo comandar o homem, o homem vencendo o rio. [...]

> Quando o cinema avançar por este território novo, de sol brilhante e selva, de animais esplêndidos e de esplêndida miséria, então teremos a certeza de que um novo ciclo se inicia, que estamos nos umbrais da autêntica expressão cinematográfica nacional, que não é maravilhosa simplesmente, mas imensa e opressora. O universo deste ciclo é farto, nele brilha o sol no céu da fome, o pesadelo de Gastão Cruls liga-se ao realismo de Ferreira de Castro, e as platéias descobrirão o imprevisível.[5]

Apesar do otimismo alentado no final desse manifesto, sabemos que o imprevisível pode se converter, até com freqüência, nas complexas mediações da ficção documental ou docu-ficção, em previsível. A adaptação cinematográfica do romance *A selva,* rodada por Márcio Souza poucos anos depois desse artigo-manifesto, não conseguiu dar esse salto na construção estética. A grande referência fílmica sobre a Amazônia permanecerá sendo ainda a obra de Silvino Santos, fotógrafo e documentarista do "ciclo da borracha", em particular sua película *No país das amazonas* (1922).[6]

Mas voltemos ao teatro indígena. Em dois textos-manifestos que prefaciam duas das mais importantes entre suas cinco peças neo-indianistas, Márcio Souza retorna à idéia de heróis nativos fundadores, provenientes de antigos povos do rio Negro. São intervenções por certo bem impregnadas pelos efeitos dos acontecimentos político-sociais dos anos 1970. Talvez esse seja um dos motivos para que, na edição reunida de sua obra teatral, em 1997, esses textos, referidos a seguir, não tenham sido incorporados. Trata-se de "Ajuricaba: herói de um povo sem memória?", que antecede a peça *A paixão de Ajuricaba* (1974); e de "Jurupari, o legislador", que introduz a "tragédia amazônica" *Jurupari, a guerra dos sexos* (1975). Neles, reportam-se as lutas de resistência dos índios manau contra os portugueses, na área entre as atuais Manaus e Barcelos, lideradas pelo guerreiro Ajuricaba, até sua derrota e morte, em 1728; e os mitos em torno do herói civilizador Jurupari, também reconhecido como homem-flauta e filho de uma fruta mágica com uma menina.[7]

Se essas fontes nativistas são belos achados etno-históricos, já nas respectivas peças sua verossimilhança dramática soa muito artificial, como se um inevitável acento estudantilesco se imiscuísse nas vozes e nos diálogos, afastando o drama dessas origens pretensamente legitimadoras da militância atual. O "ponto de vista indígena" dilui-se facilmente. Tornam-se, assim, enxertos alegóricos, e acabam por ficar distantes da proposta política mobilizadora.[8]

Se nos permitíssemos um salto extenso no tempo, no espaço e no gênero literário de que tratamos, penso que poderíamos considerar, em contraponto, muito mais bem adequado o recurso a mitos de fundação como aqueles inseridos intencionalmente pelo autor em sua nova edição de *Breve história da Amazônia* (já citados acima), pois reforçam o argumento político de base, presente em todo o ensaio. E conferem tonalidade menos objetivista ao relato histórico, sem prejuízo de sua veracidade, o que parece desejável.

Ou, em outro exemplo, mesmo que em certa óptica neonaturalista regressiva, tão a gosto da moda corrente dos álbuns fotográficos de viagens a regiões de paisagens raras, capazes de aguçar nosso imaginário turístico – fazer o quê?, muitas dessas edições são belíssimas –, podemos admitir como cabíveis as referências a mitologias nativas das origens humanas naquelas paragens, como o arquipélago de Anavilhanas, no rio Negro, o Parque Nacional do Jaú, afluente do Negro, ou o pico da Neblina.[9] O problema é que aqui se pode retroceder com alguma facilidade ao "encantamento mentiroso" de certo realismo mágico que o autor parecia estar disposto a afastar radicalmente.

Para tomar outro exemplo em que a evocação de um espaço que viu seu passado destruído combina-se bem melhor com o modo narrativo, entre lírico, elegíaco e irônico, das histórias contadas, lembraríamos dessa reunião harmoniosa de contos em *A caligrafia de Deus* (1994), tendo como protagonista a cidade de Manaus: suas paisagens deterioradas e habitantes "pobres diabos". Parece que o trânsito da selva mítica ao mundo urbano real manifesta-se, aqui, mais promissor, ao menos como rendimento literário nessas narrativas curtas.

Mas isso não quer dizer que sempre a prosa de ficção leva a melhor sobre o texto dramático. Em exemplo inverso, muito apropriado como objeto de leitura comparada, temos sua obra *A resistível ascensão do Boto Tucuxi*, que além de existir na forma do romance folhetinesco de sucesso, estampado inicialmente no suplemento "Folhetim" do jornal *Folha de S.Paulo*, entre maio de 1981 e março de 1982, e em seguida editado em livro, conheceu também uma versão dramática homônima, produzida como vaudeville, em dois atos, em texto bastante enxuto, de ritmo frenético,[10] encenado no Teatro Amazonas, em Manaus: ainda naquele fatídico ano de 1982. Fatídico por dois motivos: este seria o último espetáculo do Tesc, fundado em 1968, que teve em Márcio Souza um de seus grandes animadores (o grupo voltaria à ativa com o escritor na direção em 2003). E, no mesmo momento, a história brasileira e regional pregava sua peça "irresistível": na primeira eleição direta para governador depois do AI-5, Gilberto Mestrinho, velho político populista dos anos 1950 e certamente inspirador da figura satirizada do Boto Tucuxi, volta ao governo do Amazonas pelo voto popular. Isso parecia tirar muito da força crítica do folhetim pretendida inicialmente. Diga-se, a bem da verdade, que não se trata aqui de fraqueza particular da obra do autor estudado, ou de circunstância da ordem do puro azar, mas antes de um dilema generalizado entre as várias modalidades da produção humorística, com forte raiz e presença no Brasil, na equivalente proporção com que parecem mais facilmente absorvíveis e neutralizáveis pela indústria cultural, pela democracia de massas e pela cultura política da cordialidade. Chamemos a isso de dilema da caricatura que se monumentaliza. Ou de um folhetim que, ao virar romance, ficou excessivo e passou, involuntariamente, do sarcasmo pretensamente demolidor à veneração suavemente acre. Já a versão dramática de *Boto*, dialeticamente, em sua relativa volatilidade, enfrentando inclusive boicotes quando das três semanas de sua primeira encenação com gosto de despedida no Teatro Amazonas, parecia concentrar, seja na estrutura despojada da escrita, seja no contexto combativo desse vir à cena, maior eficácia corrosiva.

Boto Tucuxi completava, na trajetória do Tesc da obra teatral de Márcio Souza, o ciclo iniciado com as excelentes peças *As folias do látex* e *Tem piranha no pirarucu* (esta escrita inicialmente sob o título *Zona Franca, meu amor*, cujo texto fora censurado), que abordam a cena histórica urbana do Amazonas, desde o *boom* do ciclo da borracha até a modernização transplantada dos anos 1970, quando foram reescritas e encenadas.[11] Parece que, nelas, o humor funcionava muito bem para os propósitos políticos manifestos do grupo. É este espírito do deboche iconoclasta, herdeiro de nosso melhor teatro de revista e também da antropofagia oswaldiana, que preside, naqueles mesmos anos de militância artística, a elaboração da obra-prima *Galvez, imperador do Acre*. Mas antes de nos referirmos a ela, vale enfatizar uma vez mais o peso que tal experiência teatral teve na formação estética e política do autor.

Em 1977, nesse ensaio matricial que é seu *A expressão amazonense*, o escritor tentava teorizar sobre a representação da vida regional como um vaudeville, no que acreditava ser a forma mais verdadeira de negatividade para fazer face ao avanço do imperialismo na Amazônia, a partir da segunda metade do século XIX.[12] Já em *O palco verde* (1984), o autor tenta traçar uma história desse seu antigo grupo de teatro manauara, num relato apaixonado e ainda militante, cioso do processo crescente de esquecimento. As contradições com os poderes locais e o provincianismo foram inevitáveis. Mas o registro das excursões havidas por cidades do interior amazonense – Manacapuru, Careiro, Itacoatiara, Maués, Silves, Anori, Parintins, Nhamundá –, pouco habituadas à vida dos palcos, chega a ser tocante, em seu caráter quase épico. Por fim, o fechamento da sala de espetáculo pela própria direção local do Sesc anuncia que o fim está próximo. Vale transcrever um trecho do programa distribuído pelo Tesc, no Teatro Amazonas, em 1982, na estréia da montagem de *Boto Tucuxi*, quando encerrava suas atividades:

> A realidade amazonense começou a ser discutida em 1968, justamente quando era impossível abrir a boca, até para comer. Quem se lembra da primeira montagem do Tesc, *Como cansa ser romano nos trópicos*? Ninguém. Terra de muro baixo e memória curta. O antigo Ginásio Amazonense fazia política muito mais madura do que o pluripartidarismo de hoje. Quem se lembra? Ninguém. Instalaram uma loja de departamentos na cabeça dos amazonenses. Quem se lembra de *Dessana, Dessana*? Ninguém. E de *Folias do látex* e de *A paixão de Ajuricaba* e de *Zona Franca, meu amor* e de *Jurupari, a guerra dos sexos* e de... por aí. Manaus perde nas eleições (já notaram os muros baixos da cidade). Pois é. Depois de dois anos (quando foi expulso do Sesc justamente por causa desta peça, num exemplo de terrorismo cultural), o Tesc ataca de novo de realidade amazonense. Vamos pisar e repisar e reprisar até encher o saco de memória. Voltamos analisando o populismo da nossa política de baixo calão. Somos ambiciosos: queremos esta cidade limpa. [...] Pagamos para ver. E pagamos caro nestes tempos de inflação material e pobreza espiritual.[13]

•••

Diferentes resultados produziu, na prosa ficcional de Márcio Souza, essa apropriação deliberada e legítima de modos discursivos do texto dramatúrgico, do roteiro cinematográfico e do ensaio histórico-político. *Galvez, imperador do Acre* foi uma feliz "síntese dos delírios do extrativismo" – como escreve o ficcionista na abertura do livro. O romance, publicado em 1976, numa edição do governo do Amazonas, e desde o final daquela década consagrado em cerca de duas dezenas de edições nacionais, começou a ser escrito em 1966, em São Paulo. Estruturado no começo como roteiro cinematográfico (o autor depois jamais conseguiria produtor para sua realização), sua escritura sofreu também o impacto da experiência teatral em que Márcio mergulhara naqueles anos, em especial quando da redação/encenação da peça *As folias do látex* (1976), "um vaudeville da ironia da história" – conforme se lê em *O palco verde* –, apresentado em Manaus: com enorme reação negativa das elites locais. O escritor assinala que "a investigação e as descobertas sobre o ciclo da borracha me proporcionaram a clareza para reformular inteiramente o original de meu romance folhetim [*Galvez...*]".[14]

Mas enquanto o grupo do Tesc preferia levar ao palco a figura do caudilho nacionalista Plácido de Castro (a tentativa de Márcio Souza de produzir uma narrativa dramática inspirada no diário do personagem parece ter fracassado), o romance, ágil e incisivo em sua arquitetura fragmentária e farsesca, em que a profusão de intertítulos serve tanto como marcação de cena quanto como mosaico de pequenas seqüências narrativas entrecortadas, contos que fogem à tentação da "grande história", ficou mais bem resolvido ao fixar-se nas aventuras do pícaro espanhol, nesse sonho delirante de fundar narcisicamente um novo Estado imperial no coração da selva. Digamos que nele a história entrou apenas como motivo desencadeante, mas a ficção hilária dominou desde logo o andamento da trama, em imagens que se sucedem ao figurar, quase sempre nos limites do atroz e do *nonsense*, os desencontros de uma civilização postiça.

O recurso ao modo folhetinesco não garante automaticamente, no entanto, como já vimos, um bom enquadramento ficcional de recortes históricos. Em 1986, por exemplo, o lançamento de *O brasileiro voador*, "um romance mais-leve-que-o-ar", foi cercado de justas expectativas, entre outras coisas, porque anunciava-se na contracapa: "Breve um filme de Tizuka Yamasaki, co-produção franco-brasileira". Projeto que, lamentavelmente, não vingou. Escrito deliberadamente como argumento cinematográfico (e não ainda roteiro), a narrativa, valendo-se da coleção de fragmentos intertitulados como em *Galvez*, não atinge, contudo, a concentração dramática deste, dispersando-se em cenas digressivas em torno da biografia de Santos Dumont que, jamais enfrentada como principal objeto, permanece de todo modo como a linha prioritária de seu andamento. Enfim, nem bem se conta uma história por inteiro, nem bem se ri inteiramente dela. O objetivo de oferecer uma visão alternativa ao "culto militar" que transformara Santos Dumont "numa figura insossa, símbolo de um patriotismo medíocre e ressentido, tipicamente brasileiro" como afirmava o autor em página prefacial, não se realizava a contento. Talvez o tema fosse grande demais para um mosaico folhetinesco.

Em outros romances, de modo parecido, este raro equilíbrio entre ficção e documento, mediante arcabouço formal distante e quase oposto à do romance histórico onisciente, acabou por não se concretizar. Em *Mad Maria* (1980), o fundo épico, forjado pela intenção justificável de denunciar os rumos do imperialismo na Amazônia da passagem do Oitocentos ao Novecentos e a violência extremada das relações de trabalho modernas na selva, não se combinou adequadamente ao entrecho amoroso romântico, nem tampouco à sátira política ambientada na capital federal. Pareciam, como os trilhos da Madeira–Mamoré, histórias paralelas que não confluíam em um núcleo dramático central. Esse desequilíbrio evidenciou-se ainda mais quando da recente minissérie da TV Globo, agravado, seja na adaptação do roteiro, seja na produção grandiloqüente e atuações anacrônicas, que tornaram a narrativa pesada e muitas vezes artificial.[15]

Problemas semelhantes também podem ser encontrados em dois romances políticos dos anos 1980, *A ordem do dia* (1983) e *A condolência* (1984), voltados à cena nacional durante a ditadura militar. Sem dúvida importantes como documentos da literatura ficcional que se tentou elaborar sobre a vida brasileira nos "anos de chumbo", parecem ser, paradoxalmente, mais datados e menos compungentes do que a linhagem de romances-memórias e literaturas de testemunho que foram produzidos entre meados de 1970 e final dos anos 1990, constituindo verdadeiro novo gênero literário entre nós. Apesar de *A ordem do dia* apresentar-se, em subtítulo, como "Folhetim voador não-identificado", antecipando imagem e fórmula que se reproduziriam, dali a três anos, em sua narrativa sobre Santos Dumont, a fatura não condiz com o anúncio. Sua estrutura acaba resvalando para o romanesco convencional. Nessa vertente, romances realistas como os de Antonio Callado, desde a obra-prima *Quarup* (1967) até *Bar Don Juan* (1971) e *Reflexos do baile* (1976), entre outros, já tinham cumprido bem, e anteriormente, essa função de anticrônicas da era militarista.

Márcio Souza, talvez pela proximidade da cena contemporânea, dominada pelas cores de tragédia, impedindo recuo histórico maior e melhor catalisação dos ingredientes ligeiros da farsa, no que se revelara mestre, não conseguiu, nesses romances, imprimir a desconstrução do gênero que alcançara com esmero em *Galvez*. Mas esses fatores, se adversos, não devem ser considerados obstáculos intransponíveis. Disso dão-nos bons exemplos outras obras suas. Em duas peças políticas que reuniu, depois, como "tramas do período autoritário", *O elogio da preguiça* (1980, "farsa") e *Ação entre amigos* (1987, "peça criminal em três atos"), o autor parece acertar a mão, produzindo textos ao mesmo tempo contundentes e ágeis em seu humor agudo.[16]

É preciso assinalar aqui a ocorrência de interessante intertextualidade. Parte substancial da cena e dos personagens que servem de base ao ato único da farsa *O elogio da preguiça* foi transposta da segunda parte de outro romance político coevo de Márcio Souza, *Operação Silêncio* (1979), e então "unificada" dramaticamente, sempre nos dias da época. No romance, um apartamento na avenida São Luís, no centro de São Paulo; na peça, uma casa de senhora da alta sociedade, no Rio de Janeiro. Mas em ambos os cenários encontramos a viúva embaixatriz Melusine, sua afilhada e humilde agregada, Maria, e o general decadente e direitista Braylly. Na peça, temos João, "o intruso", que substitui o cineasta em crise, Paulo Conti, protagonista de *Operação Silêncio*. Todavia, tanto na farsa quanto no romance, misturam-se os abismos que separam classes sociais, gerações e ideologias naqueles anos com a alternância entre ambiente opressivo e curto-circuito geral no processo de sociabilidade urbana e atribuição de sentidos à experiência. Em duas palavras: repressão e desbunde. Não só por essa, mas por muitas outras razões considero esse o melhor romance do autor, ao lado de *Galvez*. Melhor síntese de um tempo fraturado, que é o da história brasileira e latino-americana, em *Operação Silêncio* a forma expõe-se toda ela, de modo radical, também como fratura exposta: do pensamento, da ação coletiva e da arte, em especial do cinema e da literatura.

Além desses, somente em outro romance, a nosso juízo, o autor conseguiu radicalizar formalmente suas concepções políticas e estéticas. Foi em *O fim do Terceiro Mundo* (1990), que se vale do hibridismo de outros tantos elementos paródicos – a novela fantástica de ficção científica, nomeadamente *O mundo perdido* (1912), de Conan Doyle; a conversão de autores passados e presentes em personagens; a incorporação de obras literárias canônicas na trama; a digressão ensaística; a reportagem; a literatura dos viajantes etc. –, sempre ao lado da farsa, da comédia de costumes e do drama do absurdo. Retornamos, aqui, a um trabalho de representação da Amazônia, que surge modificada pelo esgotamento da possibilidade do projeto de um desenvolvimento regional autônomo. Ela aparece agora como território internacionalizado, sujeito às oscilações e interesses de sua integração plena na ordem capitalista mundial. Publicado em novembro de 1990, esse romance era antecedido, no mesmo ano, mas por poucos meses, do ensaio-reportagem de intervenção política *O empate contra Chico Mendes*, em que o autor denunciava, a propósito do assassinato do líder seringueiro acreano, os interesses de grupos nacionais e internacionais contemporâneos na conquista e devastação da Amazônia. Talvez a vizinhança histórica dessa tragédia do futuro novo herói nacional tenha tornado *O fim do Terceiro Mundo* uma metáfora impiedosa da região, lugar do fim da linha do chamado terceiro-mundismo,[17] mas ao revés, igualmente, começo de novos deslocamentos, mesmo que confinados, por ora, ao espaço do fictício e do imaginário.

Num final insólito, de movimentos inversos e cruzados, enquanto o pterodáctilo, este misto jurássico de ave e réptil levado pelo professor Challenger, em *O mundo perdido*, da selva amazônica para Londres, assustado com a metrópole, voa de volta para "o fim do terceiro mundo", o navio *Leviatã*, que carregava entre outros o empresário Pietra Jr., neto do personagem Pietro Pietra de *Macunaíma*, singra a oriente, desgovernado, o rio Amazonas, para se extraviar "em algum lugar do oceano Atlântico sem nenhuma lei ou comando e à deriva". Nessa última página, a escrita é disposta graficamente a fim de desenhar os contornos de uma grande barca; na penúltima, são 11 linhas de reticências, para representar o riso que toma conta da referida nave, contaminando toda a população desde as margens à terra firme, até que, finalmente, "toda a Amazônia gargalhava".[18] No que nos toca, o interesse desse romance advém do deslocamento das relações de dependência que tematiza. Seu final aberto sugere que não há soluções nem respostas à vista, seja no plano teórico e no da criação, seja no do Estado ou dos movimentos sociais, para os termos da correlação de forças, em se tratando da internacionalização globalizada das últimas reservas de recursos naturais planetários, como a Amazônia. A lembrança do destino de Chico Mendes não poderia propiciar nenhuma ilusão a propósito.[19] Mais picaresco, mordaz e vertiginoso, certamente, que o ciclo de romances políticos do supracitado autor de *Quarup*, *O fim do Terceiro Mundo* perfila-se de modo a compor um par incomum, na literatura brasileira contemporânea, com o excelente *A expedição Montaigne* (1982), também de Antonio Callado, outro irônico e nada compassivo acerto de contas com nosso legado ocidental-iluminista.

•••

Para concluir, resta-nos sublinhar os dois momentos críticos mais agudos emersos de toda a sua prosa de ficção. De um lado, *Operação Silêncio*, esse turbilhão caótico de vozes que expõem todo o impasse histórico de uma geração, centrado na figura de um cineasta, Paulo Conti, alter-ego do autor, em plena cidade de São Paulo nos anos 1970:

> Muitas vezes o medo ficava intolerável: também era intolerável o afastamento progressivo de Patrícia [jovem namorada, depois guerrilheira assassinada]; ele sabia que estava jogado numa dessas situações extremas onde a vida era o limite; perder a vida e ganhar a história; ganhar a história? Nunca uma cidade parecera tão hostil e ao mesmo tempo acolhedora quanto São Paulo em 1970.[20]

De outro, o romance da eclosão do movimento da cabanagem, no Pará, *Revolta* (2005), em que o narrador, Maurício Vilaça, jovem membro da elite esclarecida e liberal de Belém, anota num diário, como pano de fundo, cenas da violência que se alastrou por toda a província, a partir da tomada do poder pelos cabanos, em janeiro de 1835 e, em primeiro plano, suas aventuras de atleta sexual libertino, cético e desesperançado de qualquer mudança no *status quo*:

> [...] espero que os dias que virão sejam assombrados em sua paz pelas apavorantes histórias destes nossos dias, histórias de desumanidade e brutalidade, de massacres de populações inteiras, de assassinatos em massa, de saques, do desperdício de milhares de homens e mulheres que terão sido aniquilados de um lado e de outro pela insensatez. Quando isto acontecer, mais uma vez, como tantas vezes aconteceu no passado e certamente acon-

tecerá muitas vezes no futuro, aquelas pessoas mais sensíveis e mais observadoras dirão que esse negócio de civilização não é mais do que uma leve camada de verniz a encobrir a verdadeira natureza da humanidade: a selvageria. [...] Desde cedo aprendi a desconfiar de tudo e nunca tive a humanidade em alta conta. Por isso não vejo futuro para nós. Olho para a frente e, ao atravessar as brumas do porvir, o que pressinto é uma grande e branca planície de esquecimento. [...] Aqui, a pasmaceira será confundida com paz, com a apatia do olvido a esmagar os últimos resquícios de lucidez, os últimos fragmentos de memória dilacerados pelo ressentimento.[21]

Fragmentos de consciência dilacerados pela repressão pareciam ser, em contraponto, os que se sucediam, enumerados caoticamente, muitas vezes via discurso livre indireto, pela vozes narrativas em *Operação Silêncio*. Mas contra as operações silenciadoras do poder estatal e da violência incorporada na sociedade e em cada indivíduo há esse jorro agônico, essa recusa à morte da memória, que não é só denúncia, mas sobretudo exorcismo e reflexão – não a reflexão de uma lógica discursiva linear, mas a que cabia naquele momento, fluxo de consciência que ainda vê, sente, pensa, ouve e fala.[22] Debaixo da maior barra-pesada não há amargura nem ressentimento nos personagens principais de *Operação Silêncio*, entre eles PPP, um professor e crítico de cinema, figura por certo inspirada como tributo a Paulo Emílio Salles Gomes, autor da trilogia de contos *Três mulheres de três PPPês*, que veio a lume pouco antes de seu falecimento em 1977.[23]

Cinema novo *versus* cinema *underground* (ou *udigrúdi*, como então se apelidava); luta da esquerda armada *versus* "revisionistas/reformistas"; várias das questões culturais e políticas da época reaparecem na narrativa, que se vale também, em toda a primeira parte, das interpolações de títulos, conhecido procedimento folhetinesco do autor, aqui entretanto sem nenhuma relação direta com a ação narrada, e citações avulsas e em caixa alta do *Livro vermelho* de Mao Tsé-tung, que se desencaixam de um contexto referencial preciso, como aforismos ao léu, exercendo função irônica e ao mesmo tempo catártica, nesse tempo de militâncias fervorosas e trágicas que nos remetem ao filme *A chinesa* (1967), de Godard.

Nessa São Paulo sublime, de terror e fascínio, nos percursos erráticos da consciência agônica de Paulo Conti, condensam-se fragmentos que repõem, às vezes como iluminações profanas, ou desdobras saídas de uma caixa de Pandora, o Brasil, a Amazônia, a América Latina. Na segunda parte, entremeiam-se pedaços do roteiro de um filme de Conti sobre a destruição do império Inca pelos conquistadores espanhóis – incorporando elementos contemporâneos da viagem que Márcio Souza fizera ao Peru, poucos anos antes, tendo inclusive residido em Lima – e imagens infernais, entrecortadas, de repressão, tortura e morte. Entra aí a cena insólita na casa da viúva embaixatriz Melusine, virtual produtora do filme, e que depois seria, como vimos, desenvolvida autonomamente como motivo da farsa *O elogio da preguiça*.

Em todo o romance fazem-se sentir os ecos de Oswald de Andrade, seja pela estrutura fragmentária e paródica, que lembra *Memórias sentimentais de João Miramar* (1924) e *Serafim Ponte Grande* (1933); seja pelo debate intenso sobre os destinos e impasses do modernismo paulista de 1922. E, sempre de volta, a questão da dependência:

> [...] mas no Brasil era começar sempre do zero; marco zero; era como se não existisse um tempo brasileiro onde a arte e a política pertencessem igualmente; porque a unidade era feita na porrada; deglutindo o que era importado; milhões de árvores queimadas para um projeto agropecuário de algumas cabeças de gado; o grande capital; o capital financeiro internacional; o capitalismo selvagem; o imperialismo bárbaro; o neocolonialismo; o entreguismo; o peleguismo; o arrocho salarial; o acordo MEC-USAID; o bipartidarismo; o tricampeonato; os contratos de risco; o Inamps; o cruzeiro novo; o ato 5; as salvaguardas eficazes; a hidrelétrica de Itaipu; o caso Lutfalla; a inflação; o monetarismo; o sol odioso da praia de Ipanema.[24]

Se nesse cenário havia raiva, medo e perplexidade, mas a ação fluía, nem que fosse rumo ao abismo, na tetralogia *Crônicas do Grão-Pará e Rio Negro*, até onde nos foi dado acompanhá-la, é como se um travo perene de amargura fosse o principal elo da história. Claro, narra-se ali uma grande falha, um gigantesco desastre histórico e político-cultural. E não por acaso, obviamente, o último romance anunciado da série se chamará *Derrota*. Em vários ensaios recentes e outras intervenções, Márcio Souza tem insistido sobre a mesma tese: entre as duas últimas décadas do século XVIII e as quatro primeiras do século XIX esboçou-se um processo de autonomização e evolução econômica da

Amazônia brasileira que, transcorrendo paralelo aos conflitos entre Rio de Janeiro e Lisboa que conduziram à independência política formal do Estado imperial brasileiro, em 1822, poderia ter levado ao nascimento de um novo Estado soberano amazônico ou, pelo menos, a uma organização sociopolítica e administrativa do Brasil que não impusesse à região uma relação de subalternidade, mas com ela entretivesse laços confederativos.[25] Seja como se compreenda ou avalie este projeto regional-nacional alternativo, o fato é que, em 1840, estava definitivamente soterrado.

Mas o desejo de perquirição histórica é grande. Não é à toa que Márcio Souza dedicou o conjunto da tetratologia amazônica à memória do escritor gaúcho Erico Verissimo, autor de um dos maiores romances épicos regionais da literatura brasileira, *O tempo e o vento* (1949-1962), de cuja seção *O continente* extraem-se inclusive várias epígrafes que encimam *Desordem* e *Revolta*. Guerras, regionalismos fortes, pontos extremos e antípodas no território nacional, revoltas populares com ingredientes separatistas: eis aí uma série de aspectos que podem interagir em sua afinidade eletiva, Norte e Sul igualmente enjeitados pelo pólo hegemônico, ficando à margem dos centros decisórios políticos e econômicos. Mas se a Guerra dos Farrapos e a curta experiência da República de Piratini no Rio Grande do Sul ofereceram muito alento, o domínio do épico em *O tempo e o vento* converte-se em antiépico nessas *Crônicas do Grão-Pará e Rio Negro*. Isso tanto por motivos históricos quanto estéticos.

Historicamente, o movimento da cabanagem, revolução política e social mais abrangente da história do Brasil – seja em termos cronológicos, geográficos ou populacionais –, não teve líderes destacados e duradouros que pudessem servir para a construção heróica requerida naquele gênero. A única exceção talvez tenha sido a figura do terceiro governador cabano, Eduardo Nogueira Angelim, mas Márcio Souza parece que não se entusiasmou com essa possibilidade. Os documentos que incorpora a propósito, invariavelmente, baseiam-se no clássico estudo *Motins políticos* (1865-1890) do barão de Guajará, Domingos Raiol, tão meticuloso quanto reacionário (em parte explicável, por ter sido seu pai morto pelos cabanos).[26]

Esteticamente, os narradores inventados até aqui para as *Crônicas* baseiam-se em recurso ficcional romanesco, nascido com o gênero, que é o de montar "plataformas de observação" da cena histórica a partir de memórias, diários, manuscritos, relatos, enfim, deixados por supostas testemunhas dos eventos passados, elas também fictícias. Além do jovem bem-nascido Maurício, de *Revolta*, temos que *Lealdade* se comporia das memórias do coronel das forças coloniais portuguesas, Fernando Simões Correia ou Pedro Barata, nascido no Grão-Pará, que em 1823 desertaria a favor dos independentistas; e *Desordem* resultaria dos manuscritos inéditos de uma escritora por mais de século incógnita, Anne-Marie Presle de Senna ou Simone Carpenthier, nascida na França e que viveu entre seu país e o Pará, onde acompanhou os acontecimentos dos anos 1830 e os teria registrado entre 1855-57. Nesse livro, há um prefácio acadêmico fictício subscrito por uma professora de literatura amazônica da Universidade Federal do Pará, pretensa organizadora do manuscrito; é um texto brincalhão, que ao parodiar o discurso da autoridade científica, menciona vários intelectuais de Belém e Manaus: amigos verdadeiros de Márcio Souza, citando-lhes obras com títulos truncados.

Mas o fato é que esses narradores-memorialistas ou autores de diário não rendem literariamente. A camisa-de-força da cronologia, o relativo distanciamento das cenas narradas, o anacronismo de várias falas e a dificuldade, de resto comum aos escritores de classe média e alta, de encetar diálogos dos "de baixo" minimamente verossimilhantes, acabam por configurar situação dicotômica entre a cena histórica e o entrecho romanesco. A personagem dona Elvira, em *Revolta*, por exemplo, retirante maranhense e espécie de heroína solitária dos cabanos, soa algo impostada, como também postiça a paixão redentora do priápico, escatológico e arrogantemente cínico Maurício Vilaça por sua filha Joaninha. E o humor paródico e farsesco, grande força expressiva do estilo literário de Márcio Souza, esvanece-se, a cada passo, nas narrativas da tetralogia.

Tudo acaba mal, já sabíamos. Mas certa implicância superior de ordem moralizante do narrador de *Revolta* também é nossa conhecida. Assim, a defesa irônica da leseira que o próprio autor faz no capítulo de *Breve história da Amazônia* dedicado à cabanagem;[27] a pasmaceira referida ao final de *Revolta*, que mal esconde o processo geral de amnésia histórica; e a reiteração da tristeza brasileira e grão-paraense como traço cultural ligado ao romantismo incurável, à cobiça dos colonizadores e à luxúria dos colonizados, várias vezes sugerida no diário de Maurício, remetem-nos a esse outro cadinho de preconceitos, nas raízes do mito paulista do bandeirismo: Paulo Prado e seu *Retrato do Brasil* (1928), lamento de uma oligarquia em crise, e uma das piores companhias de Mário e Oswald de Andrade.

A cabanagem representou o desfecho trágico de uma grande chance histórica perdida. O principal agente desse processo de olvido foi o Estado nacional vencedor, com sua organização desorganizadora e, ademais, silenciadora. Talvez a desilusão que perpassa a prosa ficcional mais recente de Márcio Souza – corajosa como escolha assumidamente *démodée* e legítima como projeto de revisão histórica, política, cultural e literária – não tenha a ver só com o Grão-Pará e o Rio Negro de mais de 160 anos atrás, mas, outrossim, com a ordem mundial de agora, Brasil e Amazônia a ela integrados. Uma ordem em que se vêem as últimas utopias da geração 68, à qual pertence o autor, desmancharem no ar das razões do mercado e do Estado. Visões que, em tom apocalíptico, já estavam desenhadas em *Operação Silêncio*; ou, em tom parodístico, n'*O fim do Terceiro Mundo*. Mas essa é apenas uma hipótese.

Francisco Foot Hardman é professor-titular de teoria e história literária do Instituto de Estudos da Linguagem da Universidade Estadual de Campinas – Unicamp e autor de Trem-fantasma: a ferrovia Madeira–Mamoré e a modernidade na selva *(2. ed. revista e ampliada, São Paulo: Companhia das Letras, 2004) e* Nem pátria, nem patrão: memória operária, literatura e cultura no Brasil *(São Paulo: Editora da Universidade Estadual Paulista Júlio de Mesquita Filho – Unesp, 2003), entre outros volumes ensaísticos.*

AGRADECIMENTOS

O autor agradece a Márcio Souza, pela gentileza no envio de informações e obras; ao crítico Inácio Araujo, montador do filme *A selva*, pelos comentários sobre a filmografia do escritor; a Acássia Valéria Correia Silva, do Instituto Moreira Salles, pelo apoio decisivo no acesso a vários itens da bibliografia de Márcio; e à Fundação Oswaldo Cruz, pela oportunidade de apresentar uma versão sintética deste estudo, no dia 19 de outubro de 2005, durante o seminário *Saúde, meio ambiente e cultura: 100 anos de Oswaldo Cruz na Amazônia*, realizado em Manaus.

BIBLIOGRAFIA

1. OBRAS GERAIS

1. 1. Teoria literária, história, política e cultura

AHMAD, Aijaz. *Linhagens do presente: ensaios*. São Paulo: Boitempo, 2002.
ANDERSON, Benedict. *Nação e consciência nacional*. São Paulo: Ática, 1989.
ANDERSON, Benedict. *The Spectre of Comparisons: nationalism, Southeast Asia and the world*. Londres/Nova York: Verso, 1998.
ARANTES, Paulo Eduardo. *Zero à esquerda*. São Paulo: Conrad, 2004.
CASANOVA, Pascale. *A república mundial das letras*. São Paulo: Estação Liberdade, 2002.

CHEAH, Pheng. *Spectral Nationality: Passages of Freedom from Kant to Postcolonial Literatures of Liberation.* Nova York: Columbia University Press, 2003.
EAGLETON, Terry. *The Idea of Culture.* Oxford: Blackwell, 2000.
GILROY, Paul. *O Atlântico negro: modernidade e dupla consciência.* São Paulo/Rio de Janeiro: Editora 34/Universidade Cândido Mendes – UCAM, 2001.
HOBSBAWM, Eric; RANGER, Terence. *A invenção das tradições.* Rio de Janeiro: Paz e Terra, 1984.
MORETTI, Franco. "The Slaugtherhouse of Literature". *Modern Language Quarterly,* 61 (1), mar. 2000.
MORETTI, Franco."Conjecturas sobre a literatura mundial". In: SADER, Emir (org.). *Contracorrente: o melhor da* New Left Review *em 2000.* Rio de Janeiro: Record, 2001, pp. 45-64.
PRENDERGAST, Christopher (ed.). *Debating World Literature.* Londres: Verso, 2004.
WEINRICH, Harald. *Lete: arte e crítica do esquecimento.* Rio de Janeiro: Civilização Brasileira, 2001.

1. 2. Sobre a Amazônia

ARANHA, Bento de Figueiredo Tenreiro. *Obras do literato amazonense* [...]. [1850]. Manaus: Umberto Calderaro, 1984.
BENTES, Abraham Ramiro. *Das ruínas de Jerusalém à verdejante Amazônia: formação da primeira comunidade israelita brasileira.* Rio de Janeiro: Bloch, 1987.
COELHO, Geraldo Mártires. *Anarquistas, demagogos & dissidentes: a imprensa liberal no Pará de 1822.* Belém: Cejup, 1993.
COSTA, Selda Vale da; LOBO, Narciso Júlio Freire. *No rastro de Silvino Santos.* Manaus: Superintendência Cultural do Amazonas – Governo do Estado, 1987.
DIAS, Edinéa Mascarenhas. *A ilusão do Fausto: Manaus: 1890-1920.* Manaus: Valer, 1999.
DIAS, Edinéa Mascarenhas (org.). *O olhar viajante: Silvino Santos.* Manaus: Museu Amazônico, 1993.
DIMAS, Antônio. "Salvem a Amazônia da disritmia histórica!". *In*: DIMAS, Antônio (org.). *Márcio Souza.* São Paulo: Abril Educação, 1982, pp. 97-105.
DI PAOLO, Pasquale. *Cabanagem: a revolução popular da Amazônia.* 3. ed., Belém: Cejup, 1990.
CUNHA, Euclides da. *À margem da história.* Porto: Chardron, 1909.
CUNHA, Euclides da. *Um paraíso perdido: ensaios, estudos e pronunciamentos sobre a Amazônia.* Rio de Janeiro/Rio Branco: José Olympio/Governo do Estado do Acre, 1986.
GONDIM, Neide. *A invenção da Amazônia.* São Paulo: Marco Zero, 1994.
HARDMAN, Francisco Foot. "Larissa e o sonho das passagens: história como deslocamento". *Revista USP.* São Paulo: 11 (43), set.-nov. 1999, pp. 176-187.
HARDMAN, Francisco Foot. *Trem-fantasma: a ferrovia Madeira–Mamoré e a modernidade na selva.* 2. ed. rev. e ampl. São Paulo: Companhia das Letras, 2005.
HARDMAN, Francisco Foot. "A vingança da Hiléia: os sertões amazônicos de Euclides". *Tempo Brasileiro.* Rio de Janeiro: (144), janeiro-março de 2001, pp. 29-61.
HURLEY, Henrique Jorge. *A cabanagem.* Belém: Livraria Clássica, 1936.
HURLEY, Henrique Jorge. *Traços cabanos.* Belém: Off. Graphicas do Instituto Lauro Sodré, 1936.
JURANDIR, Dalcídio. *Belém do Grão-Pará.* São Paulo: Martins, 1960.
LEONARDI, Victor. *Os historiadores e os rios.* Brasília: Universidade de Brasília – UnB/Paralelo 15, 1999.
MOREIRA, Ismael Pedrosa; MOREIRA, Ângelo Barra. *Mitologia tariana*, Manaus: Instituto Brasileiro do Patrimônio Cultural – IBPC, 1994.
PEREIRA, Sant'Ana. *Cabanos capital Cabânia.* Belém: Cejup, 1998.
RAIOL, Domingos Antônio. *Motins políticos: ou história dos principais acontecimentos políticos da província do Pará desde o ano de 1821 até 1835.* [1865-1890]. Belém: Universidade Federal do Pará, 1970, 3v.
SALLES, Vicente. *Memorial da cabanagem: esboço do pensamento político-revolucionário no Grão-Pará.* Belém: Cejup, 1992.

2. Obras de Márcio Souza

2. 1. Filmes

Irreal. 1965. Curta-metragem. 4'. 16 mm. Em cores. Filme experimental pintado sobre a película.
Prelúdio azul. 1965. Curta-metragem. 4'. 16 mm. Em cores. Filme experimental pintado sobre a película.
Rapsódia incoerente. 1965. Curta-metragem. 4'. 16 mm. Em cores. Filme experimental pintado sobre a película.
Manaus fantástica. 1966. Curta-metragem. 10'. 16 mm. Preto-e-branco.
Sentir a vida 1966. Curta-metragem. 20'. 16mm. Preto-e-branco.
Vale quanto pesa. 1966. Curta-metragem. 30'. 35mm. Preto-e-branco.
Bárbaro e nosso. 1969. Curta-metragem. 10'. 35 mm. Preto-e-branco.
Roadway, o porto de Manaus. 1972. Curta-metragem. 10'. 16 mm. Em cores.
A selva. 1972. Longa-metragem. Adaptação do romance homônimo de Ferreira de Castro [1930]. 75'. 35 mm. Em cores.
Rio de sangue. 1972. Longa-metragem. Inacabado. 35mm. Em cores.
A adolescente desaparecida. 1973. Curta-metragem. 10'. Vídeo (feito sob encomenda). Em cores.
Manaus, porta do Eldorado. 1973. Curta-metragem. 10'. 35mm. Em cores.
O começo antes do começo. 1974. Curta-metragem. 30'. 16 mm. Em cores.
Funarte – A história de uma experiência. 2000. Curta-metragem. 15'. Vídeo. Em cores.

2. 2. Teatro

"Contatos amazônicos de terceiro grau". *In*: ESCOBAR, Ruth (dir. edit.). *Feira brasileira de opinião.* São Paulo: Global, 1978.
Teatro indígena do Amazonas. Rio de Janeiro: Codecri, 1979.

As folias do látex/Tem piranha no pirarucu. Rio de Janeiro: Codecri, 1979.
Teatro I, II, III. São Paulo: Marco Zero, 1997, 3v. (textos revistos e estabelecidos pelo autor; contêm 11 peças).

2. 3. Prosa de ficção

Romances

Galvez, imperador do Acre [1976]. 18. ed., Rio de Janeiro: Record, 2001.
Operação Silêncio. Rio de Janeiro: Civilização Brasileira, 1979.
Mad Maria. [1980]. 17. ed., Rio de Janeiro: Record, 2005.
A resistível ascensão do Boto Tucuxi. Rio de Janeiro: Marco Zero, 1982.
A ordem do dia. Círculo do Livro, 1983.
A condolência. Rio de Janeiro: Marco Zero, 1984.
O brasileiro voador. São Paulo: Marco Zero, 1986.
O fim do Terceiro Mundo. São Paulo: Marco Zero, 1990.
Lealdade. São Paulo: Marco Zero, 1997 (primeiro volume da tetralogia *Crônicas do Grão-Pará e Rio Negro*).
Desordem. Rio de Janeiro: Record, 2001 (*Crônicas do Grão-Pará e Rio Negro*, v. 2).
Revolta. Rio de Janeiro: Record, 2005 (*Crônicas do Grão-Pará e Rio Negro*, v. 3).

Contos

"A caligrafia de Deus". *In Malditos escritores* (antologia de contos). São Paulo: *Extra – Realidade Brasileira*, 1977.
A caligrafia de Deus. São Paulo: Marco Zero, 1994.

2. 4. Prosa não-ficcional (ensaio, crítica, depoimento, discurso)

A cultura amazonense e a lei de proteção aos quelônios. Manaus: Departamento de Turismo e Promoções do Estado do Amazonas, 1965.
O mostrador de sombras. Manaus: Editora Sérgio Cardoso/União Brasileira dos Escritores – Amazonas, 1967.
A expressão amazonense. São Paulo: Alfa-Omega, 1977.
"Depoimento biográfico". *In*: DIMAS, Antônio (org.). *Márcio Souza.* Coleção Literatura comentada. São Paulo: Abril Educação, 1982, pp. 3-14.
"A questão do teatro regional". [1981]. *In*: DIMAS, Antônio (org.). *Márcio Souza.* Coleção Literatura comentada. São Paulo: Abril Educação, 1982, pp. 86-91.
O palco verde. Rio de Janeiro: Marco Zero, 1984.
Um escritor na biblioteca. Curitiba: Biblioteca Pública do Paraná/Fundação Cultural de Curitiba, 1985.
O empate contra Chico Mendes. São Paulo: Marco Zero, 1990.
Breve história da Amazônia. São Paulo: Marco Zero, 1994.
Anavilhanas. Rio de Janeiro: Agir, 1996 (texto para álbum de fotografias de José de Paula Machado).
"Os fantasmas do Teatro Amazonas". [1998]. Consultar em <www.marciosouza.com.br/interna.php?nomeArquivo=coluna_fantasmas>. Argo Internet Provider, 2004.
Parque Nacional Jaú. Rio de Janeiro: Agir, 1998 (texto para álbum de fotografias de José de Paula Machado).
"Teatro, circo e ópera". *In*: WEFFORT, Francisco; SOUZA, Márcio (orgs.). *Um olhar sobre a cultura brasileira.* Rio de Janeiro: Associação de Amigos da Fundação Nacional de Arte – Funarte, 1998, pp. 193-215.
Silvino Santos, o cineasta do ciclo da borracha. Rio de Janeiro: Funarte, 1999.
"Amazônia, modernidade e atraso ou o Brasil e seus paradoxos regionais". *História, ciências, saúde: Manguinhos.* Rio de Janeiro: Fundação Oswaldo Cruz – Fiocruz, VI (supl.), setembro de 2000, pp. 1061-1071.
Fascínio e repulsa – Estado, cultura e sociedade no Brasil. Rio de Janeiro: Edições Fundo Nacional de Cultura, 2000.
"A verdadeira nação de Rafael Bentes". *In*: SCLIAR, Moacyr; SOUZA, Márcio. *Entre Moisés e Macunaíma.* Rio de Janeiro: Garamond, 2000, pp. 85-128.
Breve história da Amazônia. 2. ed. rev. e ampl. Rio de Janeiro: Agir, 2001.
Pico da Neblina. Rio de Janeiro: Agir, 2001 (texto para álbum de fotografias de José de Paula Machado).
"Amazônia e modernidade". *Estudos avançados.* São Paulo: Instituto de Estudos Avançados da Universidade de São Paulo – IEA-USP, n. 45, 2002, pp. 31-36.
"Brás Cubas e Rip Van Winkle". *In*: BRANT, Leonardo (org.). *Políticas culturais.* São Paulo: Manole, 2003, v 1.
A expressão amazonense. 2. ed. rev. e ampl. Manaus: Valer, 2003.
"Alguns comentários sobre direitos autorais". Ver em <www.marciosouza.com.br/interna.php?nomeArquivo=coluna_direitos_autorais>. Argo Internet Provider, 2004.
"A dramaturgia brasileira está em crise?" Consultar em <www.marciosouza.com.br/interna.php?nomeArquivo=dramaturgia_brasileira>. Argo Internet Provider, 2004.
"Discurso de posse de Márcio Souza na Academia Amazonense de Letras". [Manaus: out. 2004]. Ver em <www.marciosouza.com.br/interna.php?nomeArquivo=coluna_discurso_posse>. Argo Internet Provider, 2004.
"Programa de índio". Consultar em <www.marciosouza.com.br/interna.php?nomeArquivo=coluna>. Argo Internet Provider, 2004.
"Afinal, quem é o mais moderno neste país?". *Estudos avançados.* São Paulo: IEA-USP, n. 53, 2005, pp. 87-96.

NOTAS

1 Cf. SOUZA, Márcio. *Breve história da Amazônia*, 2001, pp. 4-5 e 220-29. O mito indígena foi extraído de MOREIRA, Ismael Pedrosa; MOREIRA, Ângelo Barra, *Mitologia tariana*, 1994.

2 Cf. SCLIAR & SOUZA, *Entre Moisés e Macunaíma*, 2000. De todo modo, esse despontar da ascendência no povo de Moisés complica

bastante, para dizer o mínimo, a construção de um regional-popular "endógeno". Ou, para dizer nos termos de um *slogan* de manifestação anti-racista na França: "Somos todos imigrantes!".

3 Cf. SOUZA, Márcio. "Discurso de posse na Academia Amazonense de Letras", 2004. Veja em <www.marciosouza.com.br/interna.php?nomeArquivo=coluna_discurso_posse>.

4 Cf., a propósito, as reflexões e análises de ANDERSON, 1989, 1993, e de CHEAH, 2003.

5 SOUZA, Márcio. "Notas sobre o cinema amazônico". *In O mostrador de sombras*,1967, p. 151.

6 Captador infatigável de imagens de qualidade comparável a Humberto Mauro, Márcio Souza dedicou-lhe atenção especial num dos capítulos de *A expressão amazonense*, 1977, até um longo ensaio magnificamente editado pela Funarte, em 1999: *Silvino Santos, o cineasta do ciclo da borracha*. Sobre ele cf. também o estudo pioneiro de Selda Vale da Costa e Narciso Júlio Freire Lobo, *No rastro de Silvino Santos*, 1987; e o catálogo da exposição fotográfica organizada no Museu Amazônico por Edinéa Mascarenhas Dias, 1993. Finalmente, o cineasta Aurélio Michiles dirigiu, em 1997, o longa-metragem de docu-ficção *O cineasta da selva*, com os atores José de Abreu e Denise Fraga, sobre a vida-obra de Silvino Santos, apoiando-se inclusive em seu diário inédito, pertencente ao acervo do Museu Amazônico.

7 Cf. SOUZA, Márcio. *Teatro indígena do Amazonas*, 1979, pp. 11-19 e 89-91.

8 A considerar, também, o processo acelerado de extermínio e aculturação das últimas nações indígenas, assunto de conhecimento e preocupação de Márcio Souza, em vários momentos de sua obra. Aspecto que sempre deve contribuir, de vários modos, para agravar o anacronismo dessas vozes indígenas na dramaturgia analisada.

9 Cf. SOUZA, Márcio, *Anavilhanas* [...], 1996; *Parque nacional* [...], 1998; e *Pico da Neblina* [...], 2001, textos que acompanham os excelentes ensaios fotográficos de José de Paula Machado. Sobre a história descontínua e relativamente esquecida da ocupação secular do médio rio Negro, ver o ensaio notável de Victor Leonardi, *Os historiadores e os rios*, 1999.

10 Cf. SOUZA, Márcio. *Teatro III*, 1997, pp. 9-52.

11 Cf. SOUZA, Márcio. *Teatro II*, 1997.

12 Até mesmo produções então marginais, em nada cômicas, mas que souberam olhar "documentalmente a fatuidade dessa caricatura de civilização, dessa vida tomada como um vaudeville", são salvas pelo autor – como o realismo da desilusão de Ferreira de Castro em *A selva*, os "filmes naturais" de Silvino Santos e o poeta Raimundo Monteiro, de *As horas lentas* (1930), "poeta exilado e sem paz" às margens do rio Madeira. Cf. SOUZA, *A expressão amazonense*, 1977, pp. 103-32. Além da bibliografia sobre a Amazônia, esse livro traz, na lista de obras de referência, entre outros, autores como Jean-Paul Sartre, Karl Marx, Lênin, Mao Tsé-tung, José Carlos Mariátegui e Oswald de Andrade, que sem dúvida deixaram marcas sensíveis não só em seu pensamento crítico mas na produção literária e artística. Nada a dever, nem muito diverso do melhor do espírito de Maio de 68 (Márcio Souza estudou ciências sociais na Universidade de São Paulo naqueles anos).

13 SOUZA, Márcio. *O palco verde*, 1984, pp. 65-66.

14 *Ibidem*, p. 47.

15 Entenda-se: o livro ainda é muito melhor que a minissérie. Nele, por exemplo, percebe-se às vezes a incorporação, na história da ferrovia no século XX, de fatos pesquisados sobre as tentativas fracassadas de sua construção no século XIX, com bom rendimento romanesco, a partir da leitura, certamente, das memórias do engenheiro de Filadélfia, Neville Craig (1907, trad. bras. 1947). Na TV, ao contrário, tudo parece excessivo. Sobre literatura e história em *Mad Maria* e *Galvez*, cf. o depoimento do autor em SOUZA, Márcio, *Um escritor na biblioteca*, 1985, pp. 9-11.

16 SOUZA, Márcio. *Teatro III*, 1997, pp. 53-199. *O elogio da preguiça* foi montada em Manaus, em 1980, pelo Tesc e serviu de estopim, pelo seu alto teor de politização e temática nacional, para o fechamento da sala de ensaio e espetáculo pelo Serviço Social do Comércio, pondo fim ao relacionamento institucional entre a entidade e o grupo. Cf. SOUZA, Márcio, *O palco verde*, 1984, pp. 62-64.

17 Para uma crítica radical e pertinente à noção de "literatura do Terceiro Mundo", cf. AHMAD, Aijaz, *Linhagens do presente*, 2002. De certo modo, *O fim do Terceiro Mundo* é uma representação do esgotamento e desmonte desse conceito no âmbito da ficção literária, tendo como cenário principal as fronteiras amazônicas em fuga.

18 SOUZA, Márcio. *O fim do Terceiro Mundo*, 1990, pp. 402-405.

19 Para uma crítica dos limites políticos das "reservas extrativistas" na luta dos povos da selva contra o neocolonialismo na Amazônia, cf. SOUZA, Márcio, *O empate contra Chico Mendes*, 1990, pp. 117-127.

20 SOUZA, Márcio. *Operação Silêncio*, 1979, p. 77.

21 Terceiro volume, lembremos, da tetralogia *Crônicas do Grão-Pará e Rio Negro*, pp. 299-300.

22 Livro relativamente desconhecido do autor, *Operação Silêncio* teria apenas uma segunda edição, em 1985, pela Marco Zero. De sua escassa fortuna crítica, vale ler o alentado prefácio do ator, diretor teatral e crítico Fernando Peixoto, "A recusa do silêncio", publicado na edição de 1979.

23 São Paulo: Perspectiva.

24 SOUZA, Márcio. *Operação Silêncio*, 1979, pp. 95-96. É significativo, também, que esse romance tenha aparecido dois anos após ao da edição do ensaio *A expressão amazonense*. Ambos são claramente tributários da formação marxista do autor, com ênfases maoístas. Observe-se, por fim, no trecho citado, a expressão "Marco zero", outra clara referência a Oswald de Andrade, autor de um romance social com esse título, publicado em 1943, que está também na raiz do nome da editora de que Márcio Souza foi um dos proprietários, justamente chamada Marco Zero.

25 Cf. SOUZA, Márcio, "Amazônia, modernidade e história", prefácio à 2. ed., *In Breve história da Amazônia*, 2001, pp. 11-12; "Prefácio à segunda edição" *in A expressão amazonense*, 2003, pp. 9-14; "Amazônia, modernidade e atraso ou o Brasil e seus paradoxos regionais" (depoimento), 2000; "Amazônia e modernidade" (artigo), 2002; "Afinal, quem é mais moderno neste país?" (artigo), 2005.

26 Embora conheça os estudos clássicos de Henrique J. Hurley (1936), bem mais simpáticos à causa cabana, citados na bibliografia de *Breve história da Amazônia*, eles parecem ausentes da tela de fundo de *Revolta*. Outras contribuições historiográficas recentes, como o premiado ensaio de Pasquale di Paolo (1985; 3. ed., 1990), que interpreta a cabanagem, em perspectiva gramsciana, como a revolução popular da Amazônia, não foram consideradas. Mesmo sendo discutível em vários aspectos, o texto de Pasquale poderia dar uma dimensão mais positiva da presença das massas de índios, negros e mestiços no movimento, que em *Revolta* parece se aproximar do quadro "selvagem" pintado de modo muito parcial no texto de Raiol.

27 SOUZA, Márcio. *Breve história da Amazônia*, 1994, "Lições de um banho de sangue", pp. 124-125; 2001, pp. 160-162.

Operação Cinema

Randal Johnson

Estavam jogados entre a ditadura e a linguagem cinematográfica

Márcio Souza[1]

No prefácio à primeira edição de *Breve história da Amazônia* (1994),[2] Márcio Souza explica que o livro surgiu quando organizava uma lista de leituras para um curso a respeito do tema que ministrou na Universidade da Califórnia, em Berkeley. Ele percebeu que não havia uma única obra sobre a história da região como um todo, apesar de existirem relatos de estados específicos e sobre as regiões amazônicas dos países hispânicos. Resolveu escrevê-lo para preencher esta lacuna. Essa intencionalidade utilitária é uma característica de praticamente toda a sua trajetória intelectual, embora tenha tomado formas diferentes em diversas épocas da sua carreira.

A atitude utilitária evidente na obra de Márcio lembra a de Mário de Andrade, expressa numa carta escrita em 1935 a Sousa da Silveira (mantenho a grafia original):

> Não havia folclore musical brasileiro. Fiz folclore musical brasileiro. Não havia crítica de arte em S. Paulo, e a pouca brasileira existente era mais que péssima. Fiz crítica de arte. Não havia um tratado de poética, moderno, adaptável ao tempo. Fiz um. Não havia História de Música em nossa língua. As existentes eram simplesmente porcas. Fiz uma, bem milhor que as outras.[3]

Em outra carta, escrita ao mesmo destinatário, Mário diz: "Si trabalho pelo Brasil, é porque sei que o homem tem de ser útil e a pena tem de servir".[4]

Guardadas as devidas proporções, há várias semelhanças entre a inserção intelectual de Mário de Andrade e a de Márcio Souza. Como Mário, Márcio é um artista e intelectual cuja trajetória engloba múltiplos aspectos de produção artística e cultural. Conhecido principalmente como romancista e dramaturgo, suas intensas atividades também incluem o cinema, a historiografia e a crítica cultural, as últimas duas relacionadas mais especificamente com a região amazônica. Também como Mário de Andrade, passou por um período dedicado à administração cultural, particularmente durante sua gestão como diretor do Departamento Nacional do Livro (1991-1994) e como presidente da Fundação Nacional de Arte – Funarte (1995-2002), mas também anteriormente, como diretor de planejamento da Fundação Cultural do Amazonas.[5]

Márcio Souza deixou uma marca profunda na literatura brasileira com a publicação do seu primeiro romance, *Galvez, imperador do Acre* (1976),[6] uma versão satírica, farsante, burlesca e, às vezes, grotesca da história acreana protagonizada por um aventureiro espanhol. O livro, que parodia a narrativa, as várias formas literárias e se inscreve na tradição oswaldiana, constitui uma crítica do colonialismo, do imperialismo e do extrativismo, entre outras coisas. Por exemplo, num perfeito símbolo do colonialismo, a investigação do cientista britânico sir Henry Lust (a palavra *lust*, em inglês, significa "luxúria") consiste na coleta de órgãos genitais masculinos, entre os quais há "curiosas peças trazidas do alto do rio Negro".[7] É o mesmo cientista que concluiu que o Teatro Amazonas em Manaus foi construído por extraterrestres. Ou há o caso da escadaria de mármore do Palácio Imperial, uma escadaria que não vai a lugar nenhum, uma metáfora perfeita não apenas do império de Galvez, mas também um comentário sardônico sobre a natureza do poder. Os exemplos da genialidade do romance são inumeráveis.

De acordo com Tânia Pellegrini, desde *Galvez,* Márcio

> procurou fundamentar uma atitude de preservação das peculiaridades culturais amazonenses, por meio de técnicas narrativas folhetinescas combinadas com formas tradicionais, tais como rituais ou encenações in-

> dígenas, além de um aproveitamento das influências dos meios de comunicação, sobretudo o cinema, produzindo um conjunto dissonante, quase barroco e muito sofisticado na sua aparente simplicidade.[8]

As primeiras ficções de Márcio Souza refletem o senso de humor satírico e corrosivo de Oswald de Andrade, oferecendo uma visão política altamente crítica das contradições e das injustiças da sociedade brasileira e amazonense. Todos os seus romances incorporam um forte componente histórico, desde a conquista do Acre em *Galvez* e a construção da estrada de ferro Madeira–Mamoré, em *Mad Maria* (1980),[9] até os mais recentes livros, *Lealdade* (1997),[10] *Desordem* (2001)[11] e *Revolta* (2005),[12] que constituem os três primeiros volumes de uma tetralogia histórica que narra a formação política da província do Grão-Pará e Rio Negro entre 1823 e 1845.

A atividade teatral de Márcio também tem sido da maior importância, com peças que abordam assuntos desde o resgate da cosmovisão de uma tribo indígena ao impacto da implantação da Zona Franca em Manaus, como *Dessana, Dessana* (1975) e *Tem piranha no pirarucu* – sua primeira peça, de 1968, originalmente intitulada *Zona Franca, meu amor*; proibida pela censura, ela só foi encenada em 1978, no início da abertura política. Mas seu engajamento no teatro se intensificou apenas depois de seu regresso a Manaus, quando entrou para o Teatro Experimental do Sesc – Tesc, após um período vivido em São Paulo, para onde fora a fim de estudar na Faculdade de Ciências Sociais da Universidade de São Paulo – USP, ainda localizada na rua Maria Antonia. Márcio Souza reconta a sua trajetória com o grupo em *O palco verde*, publicado em 1984.[13] Avaliando o teatro indígena que Márcio escreve, e que foi encenado em grande parte pelo Tesc, Lúcia Sá aponta que

> [...] a tentativa do Tesc de trazer as cosmogonias do rio Negro para o teatro tem de ser reconhecida como uma façanha notável: raramente o drama brasileiro chegou tão perto do teatro ritual do século XX. Mais importante ainda, porém, é o fato de que essas peças, e particularmente *Dessana, Dessana*, foram além da maioria das experiências de teatro ritual ao tornar as cosmogonias do rio Negro politicamente significantes num contexto amazônico. Trouxeram textos indígenas para a arena da políti-

ca contemporânea, relacionando-os diretamente a questões de *performance*, censura e guerra, tanto física quanto ideológica.[14]

A área de atuação intelectual de Márcio Souza que talvez tenha sido menos estudada é o cinema. O seu primeiro livro publicado não foi nem uma peça teatral, nem um romance, foi uma coletânea de crítica cinematográfica, *O mostrador de sombras* (1967),[15] sobre filmes brasileiros e estrangeiros. Anteriormente, ele havia escrito crítica de filmes para os jornais manauaras *O Trabalhista* e *O Jornal* e tinha trabalhado como redator do programa Domingo no Cinema, da Rádio Baré Emissora Associada, também em Manaus. Em 1964, participara da fundação do cineclube Grupo de Estudos Cinematográficos do Amazonas. Embora não tenha seguido a carreira de cineasta, e muito menos de crítico, sua obra e sua trajetória intelectual são profundamente marcadas pelo cinema.

Entre 1968 e 1971, Márcio trabalhou como roteirista, assistente de direção e assistente de produção da produtora Servicine, em São Paulo. Em 1971, escreveu o roteiro do curta *O país do futebol*, de Hector Babenco, e trabalhou como roteirista e assistente de direção de *Luar do sertão*, de Oswaldo de Oliveira. Em 1979, escreveria ainda *O brasileiro voador* (publicado sob a forma de romance em 1986),[16] uma biografia do aviador Santos Dumont, para Tizuka Yamasaki, mas o filme pretendido não chegou a ser realizado.

Márcio Souza dirigiu apenas um filme de longa-metragem, *A selva* (1972), baseado no romance homônimo de Ferreira de Castro, de 1930, o qual não chegou ao nível esperado de realização.[17] Também dirigiu vários filmes de curta-metragem: *Irreal*; *Prelúdio azul*; *Rapsódia incoerente*, de 1965; *Manaus fantástica*; *Sentir a vida*; *Vale quanto pesa*, de 1966; *Bárbaro e nosso*, de 1969; *Roadway, o porto de Manaus*, de 1972; *A adolescente desaparecida*; *Manaus, porta do Eldorado*, de 1973; *O começo antes do começo*, de 1974; e *Funarte – A história de uma experiência*, de 2000.

A atuação de Márcio na área de cinema, como presidente da Funarte, ainda não foi devidamente apreciada, e não cabe, num breve ensaio, uma avaliação exaustiva. Vale mencionar, no entanto, o seu patrocínio da série de vídeos *Brasilianas*, já chegando ao 20º número, que tornou disponíveis filmes de curta-metragem de importantes diretores como Humberto Mauro, Leon Hirszman, Sylvio Back, Linduarte Noronha, Paulo César Saraceni, Sérgio Santeiro e

Vladimir Carvalho, entre outros. Importantíssima, também, foi a restauração de *O descobrimento do Brasil* (1937), de Humberto Mauro, com uma nova trilha sonora, agora disponível em DVD, e o lançamento de vários outros títulos de difícil acesso, em DVD ou vídeo. A Funarte, sob a direção de Márcio Souza, também patrocinou mostras de filmes nacionais em vários países, inclusive em Israel, que agora conta com um festival anual de cinema brasileiro. Combinando a sua paixão pelo cinema – ele é um exímio colecionador de filmes – e o seu compromisso de estudar e fazer conhecidos diversos aspectos da região amazônica, em 1999 Márcio publicou *Silvino Santos, o cineasta do ciclo da borracha*,[18] que fez o importante documentário *No paiz das amazonas*, em 1922.

A meu ver, contudo, a contribuição mais importante de Márcio Souza na área do cinema, pelo menos na forma conceitual e de crítica, é o seu segundo e pouco comentado livro, *Operação Silêncio*, publicado em 1979. Três anos depois, o crítico Antonio Dimas se refere à obra como "o romance de estruturação mais complexa e intricada de Márcio Souza".[19] Continua sendo a mais complexa do autor. Aborda, dentro de uma estrutura novelística altamente fragmentada em termos espaciais e temporais, sérias questões referentes à relação entre a arte e a política num momento de crise, os chamados "anos de chumbo", que Márcio, como muitos dos seus contemporâneos, viveu de perto.[20]

Operação Silêncio surgiu em plena abertura política, quando muitas obras literárias, teatrais e cinematográficas apareceram, tentando dar conta do difícil período de ditadura militar. A oposição ao regime é central em livros como *Bar Don Juan* (1971) e *Reflexos do baile* (1976), ambos de Antonio Callado, *Em câmara lenta* (1977), de Renato Tapajós, e *Nas profundas do inferno* (1979), de Artur José Poerner, entre muitos outros.[21] É obviamente central nas muitas memórias ou testemunhos políticos de participantes da oposição armada à ditadura, como *O que é isso, companheiro* (1979), de Fernando Gabeira, *Os carbonários* (1980), de Alfredo Sirkis, e *Em busca do tesouro* (1982), de Alex Polari, entre outros, assim como nos filmes *Paula* (1980), de Francisco Ramalho Jr., *Eles não usam black-tie* (1981), de Leon Hirszman, *Pra frente Brasil* (1982), de Roberto Farias, *O bom burguês* (1983), de Oswaldo Caldeira, *Cabra marcado para morrer* (1984), de Eduardo Coutinho, *Memórias do cárcere* (1984), de Nelson Pereira dos Santos, este baseado nas memórias de Graciliano Ramos, e, mais recentemente, na adaptação cinematográfica de *O que é isso, companheiro?*

(1997), de Bruno Barreto, *Ação entre amigos* (1998), de Beto Brant, e *Cabra-cega* (2005), de Toni Venturi. Todas essas obras, em distintos gêneros e meios artísticos – e deixei de mencionar várias produções teatrais sobre o mesmo assunto –, tentam pôr em perspectiva crítica uma série de questões relacionadas à resistência e às seqüelas do autoritarismo.

O romance de Márcio Souza, como, de certa forma, *Em câmara lenta*, constitui uma rica discussão da complexa relação entre literatura, cinema e política durante a ditadura e uma dissecação aguda das perplexidades e dos dilemas da geração que amadureceu no ambiente repressivo do regime militar. A centralidade do cinema na obra é homóloga à que detinha no discurso cultural brasileiro no período entre 1960 e 1985, especialmente sob a liderança do Cinema Novo. Pode-se até argumentar que nesse período o cinema suplantou a narrativa ficcional tradicional, assim como a música popular até certo ponto assumiu o lugar da poesia no que Pierre Bourdieu chamaria a "hierarquia de gêneros culturais".[22] Como o protagonista de *Operação Silêncio*, o cineasta Paulo Conti nos diz: "*Deus e o diabo na terra do sol, Vidas secas, O desafio* foram filmes que criaram as condições de se eleger o cinema brasileiro como ponta-de-lança da cultura nacional" (10).[23]

O livro oferece um retrato crítico do que o narrador chama de "geração de 68" (82), cujo posicionamento político se desenvolveu no período pós-1964. Conti nos informa que nasceu "aos vinte e um anos, em 1966" (100), quando ingressou em ciências sociais na Faculdade de Filosofia da Universidade de São Paulo, mais ou menos na época em que Márcio Souza entrou no mesmo curso. Há quem tenha visto a obra como um "genial romance autobiográfico".[24] Embora possa incluir elementos sobre a vida do autor, limitar *Operação Silêncio* a esse aspecto é extremamente reducionista e ignora a sua característica híbrida, uma combinação de *roman à clef*, ensaio, crítica e roteiro cinematográfico.

Essa geração de 1968 viveu os primeiros anos do regime militar, a polarização crescente de forças políticas em 1967 e 1968 e a repressão e tortura do período pós AI-5. Amadureceu na rua Maria Antonia, debatendo os filmes politizados do Cinema Novo, as peças de José Celso Martinez Corrêa e o Teatro Oficina e ouvindo a música de protesto de Chico Buarque e Geraldo Vandré. Também era enfrentada por opções trágicas: silêncio e conformismo ou revolta. *Operação Silêncio* cria um vínculo explícito entre o romance e o cinema. Lidando, como outras obras do período, com a luta armada contra a ditadura, o livro amplia o contexto para incluir os debates artísticos, também altamente politizados, que caracterizaram a época, "uma geração que pensou colocar a revolução popular de uma outra perspectiva; atacando o revisionismo e a mentira da coexistência pacífica" (82).

O título do romance refere-se, ironicamente, aos codinomes de várias operações militares lançadas contra a oposição ao regime, a mais notória das quais sendo a Operação Bandeirantes. Paulo Conti sobreviveu à repressão, sobreviveu à luta armada, da qual não participou diretamente, e sobreviveu às adversidades enfrentadas por sua geração, mas não conseguiu escapar às dúvidas e perplexidades dessa. Filtrada em grande parte pela consciência do personagem, a obra relata a sua tentativa de compreender o que ocorrera. Ele diz que

> [...] sabia o quanto tempo estivera abandonado, pensando de uma maneira pequena e constrangedora; estivera acuado e sem forças, mas agora podia desenhar para si um perfil mais adaptado ao tempo, um novo sumário de tudo o que tinha compartilhado, de todos aqueles momentos precários em que tinha sido jogado [...] o fascismo não estava derrotado; Conti sabia o quanto essas remissões feriam [...] é que talvez através delas ele pudesse encontrar o caminho de volta, retornar à trajetória que iria esvaziar essa intolerável sensação de silêncio [...] (93).

Conti sobreviveu, mas muitos dos seus amigos não. Sobreviveu em parte porque o seu terreno de luta – o cinema – não o obrigou a pegar em armas.

Operação Silêncio constitui uma discussão da relação entre a arte – particularmente o cinema – e a revolução. Mas a palavra "revolução" tem diferentes significados para diferentes setores sociais e políticos. Paulo Conti "sonhou com uma Mitchell; a *revolução redentora*, REVOLUÇÃO, agora uma palavra seqüestrada, ainda não tinha terminado; agonizava"(1). A qual "revolução" se refere? À "revolução" dos militares em 1964, ou à "revolução que nunca houve", a insurreição proposta por alguns setores da esquerda no período pós-1964? Os militares não apenas tomaram o poder, mas também confiscaram a linguagem da esquerda. Como Conti pensa para si mesmo:

> [...] e esta palavra, revolução, o que significava no Brasil, seqüestrada pela ditadura e amordaçada por um tratamento semântico reacionário martelado na cabeça [...] a luta armada parecia um delírio e os verdadeiros revolucionários isolados como terroristas pelos terroristas [...] (82).

Embora o romance discuta a luta armada e os intensos debates ideológicos que a precederam, não romantiza essa luta, nem se posiciona a favor dela. Ao contrário, vê-a como uma opção trágica e freqüentemente suicida.

Dentro de uma complexa estrutura híbrida, o enredo de *Operação Silêncio* é mínimo, e se divide em duas partes: I. "O sobrevivente Paulo Conti" e II. "O rio de sangue". Na primeira parte, Conti anda pelas ruas do centro de São Paulo para o apartamento de sua produtora, Melusine, também conhecida como a Embaixatriz, para discutir a possibilidade de dirigir um filme histórico.[25] Enquanto caminha, ele se lembra, de forma caótica, dos eventos da última década. Ao mesmo tempo, Melusine conversa com a sua sobrinha e espera a chegada do seu velho amigo, o general Braylly, que vai investir no filme.

Essa parte inicial se compõe de múltiplos fragmentos, alguns dos quais não passam de um parágrafo, cada um introduzido por um subtítulo que lembra as escritas maoístas do período da Revolução Cultural, como: "Quem se Alimenta dos Pensamentos de Mao Tsé-tung se Engrandece a Cada Passo" e "Revoltemonos Contra Liu Shao-chi e Teng Hsiao-ping". Às vezes, têm um efeito satírico, por exemplo, quando são mais longos do que o conteúdo do fragmento:

> A Grande Revolução Cultural Proletária Deseja
> Aperfeiçoar e Fortalecer a Ditadura do Proletariado
>
> Patrícia queria sair da casa dos pais. (46)

Outras vezes, oferecem uma visão irônica em relação a determinados eventos cinematográficos, como um fragmento intitulado "Manifesto Endereçado ao Pessoal Revolucionário de Todos os Hospitais Psiquiátricos da China" (34), que fala da projeção, seguida de debates, do filme *O bandido da luz vermelha* (1969), de Rogério Sganzerla, no Grêmio da Filosofia da USP. A intervenção de Paulo Conti na discussão sugere que o "desejo liqüidacionista" do filme carrega um dos aspectos mais evidentes da crise, "um cinema dito esculhambado, malfeito, auto-impugnativo, que só estabelece a irresponsabilidade na relação cineasta-público" (35). Como ver o subtítulo, e sua referência ao "pessoal revolucionário de todos os hospitais psiquiátricos", em relação a essa caracterização do chamado "udigrúdi"? A ambigüidade é complexa porque não envolve apenas a relação entre o rótulo e o conteúdo, mas também o distanciamento criado na própria estrutura do fragmento, que começa com a voz do narrador onisciente e depois "dita" a intervenção de Conti no debate.

O estilo do romance é altamente cinematográfico, caracterizado pela descontinuidade espacial e temporal, pela fragmentação e pela simultaneidade de ações. Às vezes, o livro incorpora explicitamente algumas convenções do cinema. Na parte II, por exemplo, Paulo Conti lê o roteiro *O rio de sangue* para um amigo. Eis uma passagem entre muitas:

> [...] *Travelling* lento de primeiro plano até detalhe da boca do inca que murmura. Manco Capac: quando o inca verá novamente o sol? Plano de conjunto de Manco Capac que abre os braços cobertos de plumas, como asas. *Contre-plongé*, câmara lentíssima, 128 quadros por segundo. (145-146)

Travelling, primeiro plano, detalhe, *contre-plongé* e câmara lenta[26] são termos característicos que se esperaria ver no roteiro ou na planificação de um filme, mas, dada sua natureza técnica, não necessariamente numa narrativa que conta a história de uma película.

Em alguns fragmentos, a montagem paralela ocorre em uma única sentença, como no trecho seguinte, em que a narrativa corta entre a Embaixatriz no seu apartamento e Conti na rua (deslocamentos espaciais ou cortes são indicados por "[/]"):

> A Embaixatriz tinha acordado cedo naquele dia, o apartamento estava sombrio, as janelas fechadas, as cortinas protegendo de luz a grande sala de estar. Ela, ainda de robe-de-chambre, está caminhando entre os móveis, sonolenta. Vai até a parede da sala e coloca um quadro na posição certa. Observa com um misto de ternura e sono o quadro: é uma fotografia do casamento. [/] Conti via que era uma doença que exatamente se coa-

dunava com a manhã, se isso quisesse dizer alguma coisa! Mas o medo, companheiro dos sobreviventes, é que fazia Conti se sentir assim, enquanto a cidade se excitava, [/] enquanto a Embaixatriz ouvia o silêncio de sua casa entrecortado pelo rumor da rua lá embaixo. Era estranho que num apartamento tão grande ela não mantivesse criadagem, só ela e Maria, afilhada, companheira, empregada doméstica. [/] E assim, Conti e as mulheres estavam, é claro, tomados pela mesma poalha de vômito (6).

A fragmentação narrativa na primeira parte do romance também toma várias outras formas, justapondo e alternando diversos modelos de discurso, desde a tradicional narração e descrição à poesia, registros de diário, diálogos, e uma multiplicidade de referências às figuras e obras principais da cultura popular internacional e brasileira contemporânea. Num trecho, por exemplo, o livro parodia o poema "Estrondam em ti as Iaras", de Oswald de Andrade, transformando "internacionalistas" em "nacionalistas" e acrescentando "Com Brasília/estamos civilizados/gostamos de wiski, comunicação e estruturalismo/Desde Glauber/descobrimos o subdesenvolvimento" (8),[27] o que estende, sem desqualificar, a perspectiva oswaldiana.

Na parte II, escrita "de um só fôlego" (111), Paulo Conti entra no apartamento de Melusine e conversa com Maria, a sobrinha dela. Passando ao nível de uma farsa surreal, quando o general Braylly chega, o cineasta sobe num relógio de pêndulo – que lembra o arranha-céu do romance *Serafim Ponte Grande*, de Oswald de Andrade – de onde observa a conversação entre o general e a Embaixatriz. Finalmente, Conti começa a gritar obscenidades à produtora e ao militar, que marcham em passo de ganso pelo apartamento enquanto o telefone transmite a Internacional.

Essa parte consiste, majoritariamente, de longas seqüências joyceanas sem pontuação, intercaladas de diálogos e diferentes formas de *inserts* cinematográficos.[28] Cortes no tempo e no espaço criam um diálogo improvável entre o general de linha-dura, que gostava de brincar de tortura quando era criança, e a oposição armada, igualando, até certo ponto, os dois extremos. Uma série de *flashbacks* mostra Paulo Conti em Lima, no Peru, narrando a história de *O rio de sangue* a um amigo. O filme que ele propõe fazer trata do massacre dos incas pelos conquistadores espanhóis, traçando paralelos entre a violência imposta a esse povo e aquela imposta à população brasileira pelos militares.

O enfoque central de *Operação Silêncio* é o cinema e, mais especificamente, a relação entre cinema e política. Sua dedicatória diz: "à Ida, em 24 fotogramas por segundo". Seu protagonista, Paulo Conti, é cineasta. Como o poeta Paulo Martins em *Terra em transe* (1967), de Glauber Rocha, Conti é um artista dividido entre a arte e a política. Enquanto caminha pelas ruas de São Paulo, ele lembra as intermináveis discussões que teve com amigos e, particularmente, com o crítico cinematográfico PPP, uma figura muito parecida com Paulo Emílio Salles Gomes.[29]

Como não podia deixar de ser, na época retratada pelo romance o Cinema Novo é o centro de atenção. O movimento, que surgiu com tanto ímpeto no começo dos anos 1960, na realidade teve pouco tempo para se desenvolver por causa do golpe de Estado de 1964. Paulo Conti e PPP haviam discutido a transformação, devida, em grande parte, a circunstâncias além do seu controle, do Cinema Novo de um bem-intencionado movimento político a um cinema caracterizado pelo que o protagonista chama de um "individualismo irracional" (60). Embora tenha sido, no começo dos anos 1960, uma força central no discurso cultural brasileiro, até o final dessa década perdera suas certezas políticas. Preocupava-se mais com o público e não tentava mais fazer do cinema uma área de resistência política.

> [...] Conti sabia que muitos já tinham descoberto o ridículo na pregação de um púlpito visual. Será que estavam cansados de gritar no deserto e agora fazem filmes desertos? Desertores? Será que o martírio tinha chegado ao extremo? (4).

Nas suas discussões, Conti havia tentado descobrir os possíveis usos políticos do cinema.

> [...] Era necessário que numa situação como aquela, alguém tratasse de discutir a prática do cinema (política, engajamento, luta armada); alguém tinha de tentar chegar direto ao assunto. Falar de cinema era falar de política, a eficiência ideológica estava densamente incorporada à idéia de cinema e não se podia pensar o cinema sem essas coisas [...] (22).

As contradições do cinema, e especialmente do político, vão muito além da imagem. Paulo Conti se indaga sobre a criação de filmes que criticam o capitalismo, em meio a modos de produção capitalistas. Ele critica o cinema brasileiro, e especialmente o Cinema Novo, por ter se apoiado na exploração da mais-valia do trabalho da equipe (33). A política, ele sugere, reside não tanto nas imagens do filme quanto no movimento do capital na sua produção. Uma contradição sem resolução existe na esperança de criar filmes revolucionários numa indústria reacionária. Mas a contradição é ainda mais profunda. Por causa de uma falta histórica de capital para a produção, o cinema brasileiro olhou – e continua olhando – para o Estado para proteção, subsídios e financiamento. "E quem era o Estado?", pergunta Conti. "O fascismo, a contra-revolução armada e na ofensiva" (67). O tipo de pergunta levantada por Conti, sobre a relação Estado-cinema, de fato, provocou o primeiro racha dentro do Cinema Novo, à medida que diversos cineastas reagiram de forma diferente à possibilidade de aceitar subsídios de um governo que não apoiavam. O fantasma da cooptação voava alto.

Operação Silêncio também dedica espaço considerável à figura mais proeminente do Cinema Novo, Glauber Rocha, enquadrando os seus filmes do final da década de 1960 nas mesmas contradições que o movimento enfrentava, como na seguinte passagem de um fragmento multilíngüe (francês, inglês, espanhol e português):

> [...] y los muchachos de *Hablemos de Cine* [uma revista de Lima, Peru] eram fascinados pela obra de Glauber Rocha e pelos filmes de Nelson Pereira dos Santos, e Conti ficava constrangido com todos aqueles elogios e o entusiasmo pelo cine brasileiro em Lima; Lúcia havia assistido a *O Leão de Sete Cabeças* e considerava um filme pueril. Conti não conhecia o filme como de resto os trabalhos de Glauber realizados fora do Brasil, mas desde *Terra em Transe* que sentia um mal-estar em relação aos trabalhos de Glauber e isto logo iria se confirmar quando assistiu a *O Dragão da Maldade Contra o Santo Guerreiro* na mesma proporção que se decepcionou com *El Justicero* de Nelson e *Garota de Ipanema* do Leon. (51-52)

Enquanto o livro não dá maior atenção ao filme de Nelson Pereira dos Santos nem ao de Leon Hirszman, duas tentativas na direção de um cinema comercial, se volta várias vezes para o trabalho de Glauber, o mais instigante dos cinemanovistas. *Operação Silêncio* joga os filmes de Glauber contra a nova realidade política enfrentada, marcada pela morte, pela tortura e pelo exílio. Em referência a *O Dragão da Maldade*...(1969), por exemplo, o narrador diz o seguinte:

> O Dragão... é a convulsão de uma personagem numa realidade que parece burlesca e fantasiosa; Antônio das Mortes fecha-se e anda em círculos; nada acontece, na verdade; ninguém se modifica e contra um fundo negro o povo dança; uma presença que parecia obscena; seu companheiro Rodolfo tinha desaparecido há um milhão de anos; um caixão de zinco lacrado a solda, uma etiqueta parda datilografada numa velha máquina de tipos gastos... e Antônio das Mortes transportado por uma força mística amplificava as declarações de Glauber, um cineasta que se debruçava sobre esse mundo e da janela queria incitar; incitar quem? (54-55).

Como falar, em outras palavras, da força política da arte em face da violência real que a geração de 68 enfrentava? "Antônio das Mortes nas veredas do sertão; Paulo Conti não tinha mais encontrado Rodolfo" (55), um amigo que desapareceu entre a rua Tutóia e a Chácara 31 de março. E o "udigrúdi estava fazendo *A Dama do Lotação*; pois é, a realidade só podia ser escandalosa porque a resposta ao real era opaca" (87).

Embora Conti critique a falta de eficácia política do cinema brasileiro, e particularmente do Cinema Novo, ele mesmo encarna suas principais contradições. Enquanto espera criar novas formas transformativas cinematográficas, ele se sustenta escrevendo roteiros, sob pseudônimo, para a *Good Beaver Productions*: "comédias ditas de costume, massagistas, empregadinhas violadas por patrões" (5). O filme histórico que quer fazer será co-financiado pela Embaixatriz e pelo general Braylly, a encarnação do Estado autoritário. Mas Paulo Conti está consciente e dividido por essas contradições. Compara o cinema ao mito de Sísifo: "se estavam certos, estavam equivocados; carregar os sintomas da crise até o cume da violência nacional e deixar rolar de volta para baixo, perplexos" (60).

Essa perplexidade não é apenas de cineastas, mas também de muitos artistas e intelectuais que querem reconciliar a sua arte com a conjuntura política. *Operação Silêncio* coloca a situação do cinema brasileiro num contexto histórico mais amplo, discutindo o papel e a responsabilidade de intelectuais frente à realidade do subdesenvolvimento. Especialmente significantes, neste sentido, são as páginas dedicadas a Euclides da Cunha, Graciliano Ramos e Oswald de Andrade, três modelos culturais e intelectuais.

De acordo com a prosa convoluta dessa parte do romance, Euclides era vítima da tremenda disjunção existente entre as idéias políticas e filosóficas importadas da Europa e a violência da realidade brasileira. Constitui um exemplo daquilo que Roberto Schwarz chama de "idéias fora do lugar".[30] O zelo republicano de Euclides desabou quando deu de cara com a realidade do sertão baiano:

> [...] Euclides da Cunha engavetava os logaritmos e escrevia no *Estado de S. Paulo* [...] que o movimento de Canudos era uma nova Vandeia e então re-escreveria tudo perdendo o zelo republicano frente à fome que sentia o camponês e frente ao medo e ao ódio dos revoltados [...] a defasagem só podia levar ao desespero que se apossou de Euclides até marcá-lo como um vingador irritadiço [...] (117-118).

O livro compara o silêncio imposto depois de 1968 com o silêncio imposto a intelectuais como Graciliano Ramos nos anos de 1930. Mas essa imposição, de acordo com *Operação Silêncio*, não conseguiu silenciar o realismo crítico de Graciliano. O ato de escrever, para Graciliano Ramos, tornou-se uma expressão de existência e de resistência contra a ditadura getulista, uma maneira de continuar a ser um homem e um artista. O narrador sugere que Graciliano escreveu *Memórias do cárcere* (1953) "embora e porque a ditadura possuísse cárceres e força para encarcerar a literatura" (132).

Mas Oswald de Andrade representa, para Paulo Conti, o modelo mais perfeito do intelectual brasileiro porque conseguiu diminuir a distância entre o artista e a sua época. A arte oswaldiana

> [...] representava um vínculo entre ele e o seu tempo escapando da defasagem e por ela se convertendo e se transformando e revolucionando

> de tal forma que em 1968 começaram a dizer que o Brasil tinha parado em 1930 exatamente por estar no palco do Teatro Oficina *O rei da vela* [...] (123).

Oswald conseguiu reduzir a distância entre sua produção artística e sua época porque sabia que a arte pode ser uma arma que só assume atitudes transformacionais quando a subversão toca seu próprio cerne. Mas o romance sugere que Oswald de Andrade ainda não foi completamente digerido por intelectuais brasileiros. O trabalho de Conti

> [...] tinha sido tão forte que a sua reabilitação atual provocou os transtornos conhecidos e acabou jogando os intelectuais de encontro a sua própria condição revelando que continuavam decidindo sobre eles mesmos e sobre a sua época de uma forma totalmente solitária e aventureira [...] (116).

O livro oferece mais perguntas do que respostas. Em sua complexa discussão de política e arte, sugere que o escritor/cineasta deveria seguir o exemplo de Oswald de Andrade e tentar diminuir a distância entre a arte e a sociedade, criando obras que são idéias em movimento, "realizando e antecedendo a transformação" (32). O romance é um testamento do fracasso de "realizar a transformação" por meio da luta armada contra um regime autoritário e repressivo. Serve como uma lembrança atormentada dos custos humanos daquela luta. Como discussão entre o papel social do artista e do intelectual, *Operação Silêncio* merece ser relido, agora com a vantagem de uma perspectiva histórica mais distanciada do que foi possível na época da sua publicação inicial.

Randal Johnson é professor de literatura e cinema brasileiro na Universidade da Califórnia, em Los Angeles – UCLA. Escreveu, entre outros volumes ensaísticos, Literatura e cinema: Macunaíma, do modernismo na literatura ao Cinema Novo *(São Paulo: T. A. Queiroz, 1972),* Cinema Novo x5: Masters of Contemporary Brazilian Film *(Austin: University of Texas Press,* The Film Industry in Brazil: Culture and the State *(Pittsburgh: University of Pittsburgh Press, 1987) e* Antônio das Mortes *(Wiltshire: Flicks Books, 1998). Organizou, com Robert Stam,* Brazilian Cinema *(Rutherford: Fairleigh Dickinson University Press, 1984).*

NOTAS

1 *In Operação Silêncio*. Rio de Janeiro: Civilização Brasileira, 1979, p. 76.
2 São Paulo: Marco Zero.
3 *In Mário de Andrade escreve cartas*. Rio de Janeiro: Editora do Autor, 1968, p. 150.
4 *Ibidem*, pp. 164-165.
5 Mário, como é amplamente conhecido, teve uma importante atuação no Departamento de Cultura em São Paulo e, depois, no Serviço do Patrimônio Histórico e Artístico Nacional – Sphan, no Rio de Janeiro.
6 Manaus: Fundação Cultural do Amazonas.
7 7. ed. Rio de Janeiro: Civilização Brasileira, 1978, p. 109.
8 *In:* PELLEGRINI, Tânia. "Milton Hatoum e o regionalismo revisitado". *Luso-Brazilian Review*, vol. 41, 2004, p. 127.
9 Rio de Janeiro: Civilização Brasileira.
10 São Paulo: Marco Zero.
11 Rio de Janeiro: Record.
12 Rio de Janeiro: Record.
13 Rio de Janeiro: Marco Zero.
14 *In Rain Forest Literatures – Amazonian Texts and Latin American Culture*. Minneapolis: University of Minnesota Press, 2004, p. 238.
15 Manaus: Editora Sérgio Cardoso/União Brasileira dos Escritores – Amazonas.
16 São Paulo: Marco Zero.
17 Em 2002, o realizador português Leonel Vieira retomou a história e filmou, no Brasil, uma segunda adaptação de *A selva*, com Diogo Morgado, Chico Díaz, Maitê Proença, Gracindo Júnior, entre outros. Em 1972, Márcio Souza chegou a dirigir outro longa-metragem, *Rio de sangue*, sobre a conquista dos incas pelos espanhóis, mas a produção não chegou a ser finalizada.
18 Rio de Janeiro: Funarte.
19 *In:* DIMAS, Antonio (org.). *Márcio Souza*. Coleção Literatura comentada. São Paulo: Abril Educação, 1982.
20 Retomo, nesta seção do ensaio, algumas observações feitas originalmente em "Literature, Film and Politics in Brazil: Reflections on the Generation of 1968". *In* JOHNSON, Randal (org.). *Tropical Paths: Essays on Modern Brazilian Literature*. Nova York: Garland Publishing, 1993, pp. 183-198.
21 Como Joan Dassin escreveu, com tais obras, é claro que "a ficção (...) assumiu a tarefa autodesignada de descrever, analisar e talvez exorcizar os efeitos da repressão na sociedade brasileira". *In* "Fear and the Armed Struggle in Brazil". Manuscrito preparado para o seminário do Social Science Research Council sobre "A cultura do medo". Buenos Aires, 31 de maio – 1º de junho de 1985, p. 42, nota 1.
22 Ver "The Field of Cultural Production, or: The Economic World Reversed". *In:* BOURDIEU, Pierre. *The Field of Cultural Production: Essays on Art and Literature*. JOHNSON, Randal (org.). Cambridge: Polity Press, 1993, pp. 47-48.
23 Os números entre parênteses se referem às páginas da edição do romance publicado pela Civilização Brasileira em 1979. Na transcrição dos textos, mantive as grafias originais.
24 *In:* ZAGO, Antônio."Arte, política e sexo após a Primavera de 68". *Folha de S.Paulo*, 13.01.1980.
25 Como indiquei anteriormente, entre 1968 e 1971, Márcio Souza trabalhou como roteirista, assistente de direção e assistente de produção para a Servicine, em São Paulo, uma produtora fundada por Antônio Pólo Galante e Alfredo Palácios, na Boca do Lixo de São Paulo.
26 Na linguagem cinematográfica, *travelling* é uma "câmara em movimento na *dolly* [veículo que transporta a câmara e o operador] acompanhando, por exemplo, o andar dos atores, na mesma velocidade. Também, qualquer deslocamento horizontal da câmara". *Primeiro plano* é a "posição ocupada pelas pessoas ou objetos mais próximos à câmara, à frente dos demais elementos que compõem o quadro". *Detalhe* ou *plano de detalhe* "mostra apenas um detalhe, como, por exemplo, os olhos do ator, dominando praticamente todo o quadro". *Contre-plongé* ou *contra-plongé* são imagens filmadas de baixo para cima. *Câmara lenta* ou *slow motion* é o "movimento retardado". Ver MACHADO, Jorge (org.), "Vocabulário do roteirista" <http://www.roteirodecinema.com.br/manuais/vocabulario.htm>
27 *In O santeiro do mangue e outros poemas,* 1946. O poema original é: "Desde Bilac/Somos internacionalistas e portugueses júniors/Gostamos de Camembert, do Nilo, de Frinéia e de Marx/Carvões do mar/Náufragos entre sustos e paisagens/– 'I don't know my elders!'/Desde Gonzaga/Somos pastores e desembargadores/Desde a Prosopopéia/Somos brasileiros".
28 *Insert* é uma "imagem breve, rápida e quase sempre inesperada que lembra momentaneamente o passado ou antecipa algum acontecimento [...]". MACHADO, Jorge (org.), "Vocabulário do roteirista", *op.cit.*
29 Em 1977, Paulo Emílio publicou um romance intitulado *Três mulheres de três PPPês* (São Paulo: Perspectiva).
30 Ver *Ao vencedor as batatas*. São Paulo: Duas Cidades, 1977.

Dentro do palco verde

Jefferson Del Rios

A primeira fase do teatro de Márcio Souza tem como cenário a beleza monumental e bíblica do rio Negro. A segunda traz os males, maleitas e maus resultados do ciclo da borracha. Essa Amazônia atemporal não cabe nas fotos e nos *closes* da *National Geographic Magazine*. A culpa não é da revista, que em 1989 fez um bom ensaio fotográfico sobre o Mississipi de William Faulkner. Ocorre que aquele rio brasileiro, de um pretume lustroso e ondas amarelas como breu derretido, impõe, ainda, um respeito maior do que o mal que lhe causam.

Curiosamente, o cosmopolita Márcio nem é dado a incursões mato adentro. Ele começou a escrever quando prestou atenção ao ar sério dos meninos ribeirinhos, ligeiros na canoa ao cercarem os turistas com filhotes de jacaré, bichos-preguiça, macacos e jibóias. Ao contrário dos garotos das cidades, com a litania do "dá uma moeda" ou "te corto com esse vidro", eles não falam. Os caboclinhos guardam a reserva enigmática dos índios andinos e amazônicos. O escritor notou o drama de um povo desarmado, despossuído, estorvo à predação extrativista, colhendo o lixo de uma "zona franca" que tem nesse nome um involuntário tom sinistro. Nada é franco nem risonho no mundo em que uma tora de mogno vale mais que um homem.

Esse espaço de biologia delirante engendrou uma subelite igualmente delirante na audácia sem medidas e impune, na ostentação operística, na insensibilidade social – que é toda uma sociologia. Márcio Souza – que bom – estudou essa ciência e tratou do problema no ensaio *A expressão amazonense*.[1] E continua a fazê-lo na ficção, em suas entrevistas e palestras. Embora pudesse poetar como o piauiense Torquato Neto ("Aqui é o fim do mundo"), escolheu para o seu teatro duas vertentes precisas e diferenciadas: a epopéia e a sátira.

Seus romances estão mais na linha realista, à exceção de *Galvez, imperador do Acre,*[2] obra-prima em caricatura.

Pela exaltação do mito, Márcio recupera a grandeza esquecida de Ajuricaba, o índio guerrilheiro que bloqueou o avanço português onde hoje está Manaus. Faltou a esse chefe indígena a sorte histórica, literária e cinematográfica dos mexicanos Zapata e Juarez ou a aura de Guevara, mesmo quando, por erro político e voluntarismo, caminhou para a morte na Amazônia boliviana. Márcio Souza retira seu herói do ostracismo na peça *A paixão de Ajuricaba* (1974),[3] uma espécie de paradigma da primeira fase da obra teatral do autor.

De outra parte, esse teatro é satírico – e de um deboche provocador, que junta as malícias do cordel e a caricatura expressionista. George Grosz e Bocage popular. Para começar, as peças tomam os potentados locais pela palavra e usam o termo "zona" no sentido consagrado de prostituição. Mostram o bordel das negociatas, dos acertos de alcova, do *strip-tease* das mocinhas diante dos barões da borracha e da tralha eletrodoméstica que faz do bonito centro de Manaus uma feira caótica durante o dia e uma "zona morta" à noite, quando o comércio de bagulhos cerra as portas. Recuperando as revistas brasileiras de Valter Pinto/Virginia Lane, Márcio sai-se com uma jóia de duplo sentido, o musical *Tem piranha no pirarucu* (1978), espetáculo da segunda fase.

É desse teatro extenso, rico e longínquo dos brasileiros do Centro-Sul – e isso é um problema nosso, não do teatro – de que se precisa falar.

•••

Márcio Souza chama a atenção pela linguagem culta, mesmo na sátira pesada, na liberdade de imagens e subtendidos maliciosos que, de certa forma, caracterizam o humor do teatro de rua em todo o Norte-Nordeste brasileiro, sobretudo nas peças de mamulengos (bonecos). Em uma das versões do Festival Mundial de Teatro de Marionetes, em Évora, Portugal, o grupo do Ceará derrubou os portugueses de riso e de espanto com as referências sexuais "faladas" pelos bonecos. Esse "à vontade" de costumes nas camadas populares de sociedades conservadoras é um dos tópicos não devidamente estudados, embora Gilberto Freyre e Ariano Suassuna não o ignorem.

Há uma explicação de caráter lingüístico nesses textos que, ao desavisado, poderão parecer quase arcaicos. No Amazonas, ou melhor, no vasto território do outrora Grão-Pará, ainda se fala o português aproximado do original lusitano da época colonial. A prosódia e o uso corrente do pronome na segunda pessoa do singular surpreendem o visitante. E isso se dá com a associação correta ao verbo (ao contrário dos gaúchos que criaram uma simpática fala que não utiliza a associação "tu tem", "tu vai" – e não "tu tens" etc.). Entre Manaus e Belém, maneja-se tranqüilamente o "ti" na conversa coloquial. A bela arquitetura lisboeta de Belém explica a forma. Se mais for preciso saber, Márcio explica nos romances da tetralogia *Crônicas do Grão-Pará e Rio Negro.*[4] É a parte do Brasil mais próxima da antiga metrópole, a ponto de se ter pensado seriamente ali na separação do restante do país. Belém teve um fluxo mais regular de comércio, de comunicação marítima e, em conseqüência, de hábitos com Lisboa do que com o Rio de Janeiro. Passados cinco séculos, o vestígio dessa ligação aparece nas ruas manauaras, belenenses – e na escrita de Márcio Souza.

Com esses antecedentes históricos e culturais, o dramaturgo se propôs a resgatar o mito e a verdade dos indígenas e a vergastar o que, numa expressão bem a seu gosto, costuma chamar de "as sandices do capitalismo na Amazônia". Ajuricaba, como personagem, é heróico. Em 1738, na chefia dos índios manaus, resistiu aos portugueses chefiados por Belchior Moraes. O embate esclarece por que essa literatura teatral teria de nascer: por tratar das chamadas guerras invisíveis, como os genocídios ainda correntes na África atual. Resquícios coloniais que mal chegam ao conhecimento do mundo porque não há potências e geoestratégias em jogo. Apenas um continente forma a História (Ruanda, Botswana, Darfur – quem chora por eles? Há memória de Biafra?). Como os vencedores têm uma amnésia igualmente "histórica", Márcio pega o verso de Ary Barroso e "abre a cortina do passado" (a música, cabe lembrar, é *Aquarela do Brasil,* de 1939).

O universo indígena amazônico, de inúmeras etnias, contava com milhões de habitantes quando, em 1637, a expedição de Pedro Teixeira entrou na região, com o firme propósito de chegar ao Peru pela via atlântica. Portugal esperava retirar dali tesouros em produtos naturais que compensassem as perdas de fornecimento no Oriente. A envergadura da operação – 47 embarcações – exigiu o registro do cronista Mauricio de Heriarte, que descreveu as terras do Amazonas como

> [...]habitadas por inumeráveis pagãos. Eles possuem um chefe [...], que chamam de rei, [...] e ele dirige várias tribos subjugadas ao seu domínio e é por elas obedecido com grande respeito. [...] As aldeias e gentes desse rio são grandes e suas casas circulares e fortificadas por cercas. Se esse território for colonizado pelos portugueses, nós poderemos fazer dali um império e poderemos dominar todo o Amazonas e outros rios.[5]

Teixeira conseguiu chegar a Quito, em 1638, assumindo a posse da terra em nome de sua Coroa, apesar de Portugal estar integrado ao Reino Espanhol, o que durou até 1640. Das especiarias encontradas, recolheu o urucum, o primeiro desses produtos levado para a Europa. Há uma ironia vingadora nessa escolha: urucum é uma das bases das tinturas rituais, de guerra inclusive, dos nativos. Márcio Souza escreve que

> [...] a resposta dos povos indígenas foi exemplar. Em 1720 os portugueses começam a ouvir falar do tuxaua Ajuricaba, a maior personalidade indígena da história da Amazônia. No começo, ele não hostilizou os portugueses. Como aruaque, exerceu um dos talentos de sua cultura: a arte da diplomacia. Rapidamente ele foi unindo as diversas tribos sob uma confederação tribal, o que não era tarefa fácil. A estrutura social das tribos da Amazônia, por uma opção histórica, rechaçava qualquer tipo de poder centralizador. Daí a pulverização dos povos indígenas, que os fez presa fácil para os invasores europeus. Poucas foram as experiências de confederação entre os índios em todo o continente americano, mas Ajuricaba logrou unir as mais de 30 nações do vale do rio Negro, em cerca de quatro anos de trabalho de persuasão.[6]

Ajuricaba percebeu os diferentes interesses dos brancos e soube usar esse conhecimento na sua estratégia de resistência. Nos territórios colombianos estavam os ingleses, franceses e holandeses (que constituiriam as Guianas). Do Sul brasileiro subiam os bandeirantes façanhudos. Ajuricaba negociou pólvora, chumbo e armas brancas com os holandeses e ingleses e, em 1723, foi à luta contra os portugueses, destruindo seus núcleos de ocupação ao longo do rio Negro. Lisboa inquietou-se ao saber que Ajuricaba trazia a bandeira da Holanda em sua canoa. Os arquivos holandeses confirmam que os contatos foram feitos a partir de 1717, prova da habilidade desses calvinistas pragmáticos em se acertarem com os nativos, razão do sucesso da sua Companhia das Índias Ocidentais, constituída em 1621, na fundação de Nova Amsterdã (Nova York), na ilha de Manhattan, onde viviam os índios iroqueses.

Diante do quadro no Brasil, o governador da província do Grão-Pará, João da Maia da Gama, expediu carta para "El Rey" informando que

> [...] todas as tribos do rio e com exceção daquelas que estão conosco e contam com missionários, são assassinas de meus vassalos e aliadas dos holandeses. Elas impedem a propagação da fé e continuamente roubam e assaltam meus vassalos, comem carne humana, e vivem como bestas, desafiando a lei natural. [...] Esses bárbaros estão bem armados e amuniciados com armas dadas pelos holandeses e outras conseguidas por eles e tomadas de homens que foram até lá e intentaram assaltá-los, desobedecendo minhas ordens. Eles não apenas têm o uso das armas mas também se entrincheiraram em cercados de pau e barro e com torres de vigilância e defesa. Por tudo isso nenhuma tropa os atacou até o momento por temerem suas armas e sua coragem. Por essas dissimulações eles se arrogam a um maior orgulho e se julgam no direito de cometer todos os excessos e matanças.[7]

A guerra total contra Ajuricaba se avizinhava. Os jesuítas tentaram uma solução negociada e chegaram a convencer Ajuricaba a trocar a bandeira holandesa, jurando obediência ao rei de Portugal. O padre José de Sousa narrou ao governador que o chefe indígena era jovem, altivo, e havia assumido pessoalmente a responsabilidade pelos ataques aos portugueses. Em suma, valeria a pena uma conciliação com ele. Mas não houve acordo; os jesuítas se retiraram e, em 1728, o governador decretou expedição punitiva ao inimigo. Conseguiram. O governador escreveu ao seu rei:

> O bárbaro chefe Ajuricaba e mais seis ou sete de seus chefes aliados foram finalmente presos e 200 ou 300 prisioneiros foram pegos junto com ele. Quarenta desses serão trazidos para pagar os custos da expedição feitos pelo tesouro de Sua Majestade e mais 30 para a coletoria real.[8]

Na transferência dos cativos para Belém, o heroísmo ou um assassinato transfiguraram-se em lenda. Os indígenas, mesmo acorrentados, tentaram lutar. Quem conhece a vastidão do rio Negro, a cor das suas águas, o cenário das matas, pode imaginar melhor aquele choque desesperado. (Obs.: O clima de insanidade das conquistas luso-espanholas pode ser visualizado no filme *Aguirre, a cólera dos deuses*, de 1972, dirigido pelo alemão Werner Herzog.)

Os rebeldes foram subjugados. Ajuricaba, entretanto, saltou no rio e desapareceu. O misericordioso testemunho dos soldados atesta que "pondo de lado a pena que sentimos pela perda de uma alma, ele nos fez um grande favor ao nos liberar da obrigação de tê-lo prisioneiro".[9] Márcio completa: "Ajuricaba pulou da canoa de seus opressores para as águas da memória popular, libertando-se dos grilhões e ressuscitando como um símbolo de coragem, liberdade e inspiração. O querido herói amazonense tinha 21 anos de idade."[10]

Épico em tom de tragédia, *A paixão de Ajuricaba*, contudo, mostra o guerreiro na sua condição humana. Ele rapta Nhambu, jovem da tribo rival xiriana; há sensualidade e aspereza no romance, distante do romantismo de *O guarani* (1857), de José de Alencar, ao expor hostilidades entre os índios e costumes como a antropofagia. O dramaturgo não inventa para aquela gente uma coloquialidade verbal que desconhece. As inúmeras subdivisões de povos e línguas indígenas são tarefas para antropólogos e sertanistas. Embora tivesse à mão *Os índios e a civilização* (1970), de Darcy Ribeiro, a palavra é do ficcionista. Os personagens usam o bom português ao falar do "país romântico do vale do rio Negro".[11] Pode soar estranho, todavia, efetivamente não têm maiores afinidades com a arte regionalista. Prefere o monumental operístico, um desafio para elencos experientes – e Márcio Souza, como encenador, trabalha com novatos de Manaus. O irônico é que, fora de lá, há o risco da composição artificial (índio de telenovela).

Ajuricaba tem um fecho grandioso quando Teodósio, índio aculturado, adere à causa do líder manauara: "Eu, Dieroá, antigo assimilado, guerreiro e flagelo dos portugueses".[12] Não é liberdade poética. Teodósio efetivamente liderou uma rebelião, foi vencido e enviado a Lisboa (1729). Outra confederação de tribos chegou a ocupar vilas e a tomar uma ilha estratégica (1757). No fim, como se sabe, os índios foram derrotados.

•••

Os temas rurais, ou não expressamente urbanos, têm pouca vez nas artes cênicas. Resultam em literatura e cinema de larga aceitação, porém chegam difíceis ao público de teatro. O exemplo gritante está na dramaturgia do paulista Jorge Andrade, que abrange da decadência do ouro e do diamante em Minas (*Pedreira das almas*, 1952) e do café em São Paulo (*O telescópio*, 1954; *A moratória*, 1955; *A escada*, 1961) ao messianismo no campo (*Vereda da salvação*, 1964). Exagerando um pouco, o teatro de Márcio Souza só não está ameaçado de extinção, como os seus personagens, porque o escritor voltou em 2003 ao Teatro Experimental do Sesc, o Tesc, de Manaus – lá estivera entre 1969 e 1982, quando o grupo foi extinto, por motivos políticos –, com um repertório que alterna textos internacionais importantes e a sua própria obra. Se houver apoio para excursões, o grupo tem interlocução fácil com todo o Norte-Nordeste e mesmo com os países vizinhos. A transposição desse teatro para a TV está em aberto.

Se *Ajuricaba* alterna guerra e amor, *Dessana, Dessana* (1975) mostra o começo do mundo, Gênesis tropical. O maior conjunto de rios do planeta parece ilustrar o parágrafo inicial da Bíblia: "O espírito de Deus movia-se sobre as águas". Na cena, tomada pelos habitantes de Manaus, apressados, sons de buzinas, fumaça do trânsito, uma figura andrajosa destaca-se e diz: "O mundo/foi criado/em sete dias./É o que dizem, não é verdade?/ [...] Mas o certo é que/o mundo precisa ser criado/todos os dias".[13]

Um coro replica insistindo na versão bíblica, no entanto, a voz solitária reitera o fundamento do enredo: "Para destruir uma maldade/é preciso conhecer/a maldade./É preciso criar o mundo/desde o começo/e ver a maldade surgir/para então a destruir".[14]

Márcio – e seu parceiro no texto, Aldísio Filgueiras – lançam nomes e conceitos que são enigmas encantatórios para o espectador: "Yebá-Beló, avó do mundo", "o Trovão da Casa do Rio", "o Trovão de Wapui-Cachoeira". A peça deu aos dois a experiência – que poucos autores podem desfrutar – de testar uma ficção antropológica e lingüística na sua fonte real. A magia instalou-se no Teatro Amazonas – a vistosa oca dos brancos –, onde *Dessana* foi assistido por índios tucanos, ticunas, tarianas, mawé-saterê e por outros povos da região. Todos se sentiram representados no palco.

A seguir, "do fundo do mato virgem", para lembrar a expressão de Mário de Andrade, surge *Jurupari, a guerra dos sexos* (1975). Só que, ao contrário de *Ma-*

cunaíma (1928), não há rapsódia e, sim, a tragédia "da nossa gente". O que se vê são sagas indígenas, alusões à comédia grega *Lisístrata* (411 a.C.), de Aristófanes, interferências do autor numa acumulação de acontecimentos dignos de um roteiro de cinema (que Márcio Souza já fez), com *flashes*, cortes, simultaneidade de ação etc. A peça traz indicações para o encenador não se preocupar com rigores etnográficos. O mote do enredo é a insanidade da guerra em qualquer cultura.

Em contraposição ao homem imemorial de lança e borduna, o escritor oferece a infância dos índios em *A maravilhosa história do sapo Tarô Bequê* (1975). Não se trata, no caso, de nenhuma história de príncipe enfeitiçado; o assunto é o bicho mesmo, embora esteja em cena a sua vontade de virar gente. A peça é a recriação de uma fábula dos índios tucanos, do rio Negro. Em meio à leveza das peripécias, a crítica desponta na referência à onça transformada em casaco de pele. Márcio usa nomes exóticos, que soam musicalmente (maniva, ipadu, xerimbabos) na sua única peça infantil. Aparentemente, é um adeus à mata. Para os adultos, escreveu a curta e premonitória *Contatos amazônicos de terceiro grau* (1978), com o estrondo dos tratores derrubando a mata e se fundindo, num crescendo, ao *Réquiem* (1791) de Mozart.

•••

Daí em diante, o escritor se lança num embate literário com os brancos do Amazonas. É a vez de o artista passar o trator sobre a "elite" bruta que saqueia a natureza e faz da capital uma mixórdia de muambas e tramóias.

O ataque se fez com duas revistas musicais, *Zona Franca, meu amor* (texto de 1968; a encenação seria proibida pela censura em 1974 e só chegaria aos palcos em 1978, com o novo e divertido título *Tem piranha no pirarucu*) e *As folias do látex* (1976). Márcio Souza é particular e sorridentemente hostil às fortunas antigas dos semi-escravistas "coronéis de barranco", que vinham acender charutos com notas de dinheiro graúdo nos intervalos do Teatro Amazonas, e à classe empresarial média com "um QI de chimpanzé", achando ótimo que a cidade, hoje uma feira de eletrodomésticos e isenções fiscais, seja "a maravilhosa capital amazonense que ejacula esperança pelos ouvidos".[15]

As duas peças são habitadas por senhoras tirânicas, prostitutas e negocistas estrangeiros em busca de baixos impostos e salários para montarem fábrica de "coçadores de costas". O autor apresentou o espetáculo como "mais um mosaico de como a civilização ocidental agiu na Amazônia, seja indiretamente, seja por meio de seus representantes nativos".[16] Como o escritor não é um esquerdista pueril, mas o intelectual versado em Bertolt Brecht e no Claude Lévi-Strauss de *Tristes trópicos* (1955), pode se dar ao luxo de pegar pesado, como se diz, debaixo dos lustres do imponente Teatro Amazonas. O que não o livrou de iras locais e federais. Ele se lembra que, na noite da estréia de *Folias,* "representantes de famílias locais abandonaram a platéia batendo as cadeiras".[17] Em *Zona Franca,* o mesmo tom é mantido para expor, segundo Márcio, um equívoco travestido de progresso. A peça termina com empresários norte-americanos já de partida para outras zonas francas mais produtivas. Um refrão impiedoso diz: "Porto de lenha, tu nunca serás Liverpool".[18]

Em *O pequeno teatro da felicidade* (1977), um grupo de saltimbancos, no correr do ano de 1836, assiste a um estupro e assassinato praticados por alguém acobertado pelo poder. Por estarem, sem querer, no lugar errado, os atores passam a ser perseguidos. Eis a nossa "queima de arquivo" exposta com o recurso do teatro dentro do teatro. A peça tem raízes locais, ao falar do mandonismo impune sobre as classes subalternas. Mas era, à época de sua estréia, uma referência oblíqua ao regime militar. Acontecera um crime parecido em Brasília, anos antes.

A ditadura acabou, contudo o texto não envelheceu nos seus méritos. Estão aí os pistoleiros de aluguel, os grileiros de terra, os fazendeiros violentos, os contrabandistas ensangüentando o paraíso/inferno verde – como se vê no Pará de 2005 – a tratar os nativos como no século XIX. A uma primeira vista, a peça aparenta ser apenas um texto de combate, mas ele se mantém vigoroso na releitura, mesmo com problemas pontuais de forma e conteúdo. A impostação da linguagem será sempre difícil de se representar com verossimilhança ("Folgo em vê-lo tão pressuroso de nosso sucesso, coronel. Por acaso vós mesmo estais a necessitar dos serviços de um letrado?"[19]). As referências históricas serão vagas para quem não é do Norte do país. Nada disso, todavia, impede a comunicação.

Se as peças anteriores colocam o índio em primeiro plano, *O pequeno teatro da felicidade* anuncia a política nesse teatro. Na estréia, o presidente da Federação do Comércio do Amazonas disse que se tratava de um espetáculo "salgado". Ele tinha razão, mas com o reconhecimento enviesado do seu valor. Márcio Souza, como um sanitarista Noel Nutels das artes, desde então atiraria sal, risos e insolências no terreno pantanoso dos manda-chuvas. Com verve polêmica – e muita graça.

Com *A resistível ascensão do Boto Tucuxi* (1982), desembarcamos na Amazônia da política populista onde – como dizia o humorista Barão de Itararé – "a política pública é uma extensão da privada". Márcio afirma que essa farsa melancólica, por assim dizer, é a crítica ou "projeção de todos nós, coniventes em nossa pasmaceira"[20] – e esse é seu valor maior. Só que, ao ser lançada, ela fazia alusão quase explícita a uma oligarquia política que dominava amplamente o Estado. Quando a concebeu, o autor estava mesmo chamando essa gente para a briga, tanto é que o tema foi antes desenvolvido como folhetim na grande imprensa. O Boto estava vivíssimo e no poder. O embate direto desvela a província de opereta tropical com tipos acanalhados, corrupção, o cinismo político e mercantil levado a extremos de bordel. Como tudo é feroz e ridículo, fica-se entre as chanchadas cinematográficas e certas gravuras de crítica – caso de *O camarote,* do pintor português Bernardo Marques.

A exemplo de *O pequeno teatro da felicidade*, *A resistível ascensão do Boto Tucuxi* usa o recurso do teatro no teatro. A peça é de extrema violência verbal, com escatologia e expressões de duplo sentido. Entretanto, tem início com bruxas, à *Macbeth.* As cenas são rápidas e às vezes caóticas na estrutura e compreensibilidade. Obra da passagem da fase jovem para a maturidade, ela trai certa insolência autoral – como a de parodiar a carta-testamento (1954) de Getúlio Vargas. Atitude típica de quem estudou sociologia na Universidade de São Paulo, onde se cultivou, quase que obsessivamente, a aversão ao populismo. Personagem da História ou persona dramática, Getúlio escapa a reduções. Não se conseguiu ainda descrevê-lo como, na Argentina, fez Tomas Eloy Martinez em *O romance de Perón* (1985).

O mesmo ímpeto polêmico está presente nos acertos e erros de duas peças situadas fora da Amazônia, *O elogio da preguiça* (1980) e *Ação entre amigos* (1987), que demonstram que o escritor realmente é mais político que regionalista (não lhe peçam jamais descrições realistas de vidas na beira do rio). *Preguiça* é uma opereta bufa com tipos da América Central: general golpista, madame excêntrica, um personagem indefinido e imprevisível. Há algo no ar que pode ser um golpe militar, um fuzilamento ou uma fuga pela selva. Nesses momentos, roteiro e estilo são delirantes nos jogos de frases absurdas e grotescas, que juntam a chanchada da Atlântida com páginas de Miguel Angel Astúrias em *O senhor presidente* (1946). O humor, às vezes forçado, descreve um grupo social autoritário, sem barreiras na sua corrupção e violência. A peça, forte e abrutalhada, tem marcas de *agit-prop* teatral e um substrato mais profundo a ser mais bem elaborado.

Ação entre amigos é ficção policial com fundo ideológico, envolvendo pessoas isoladas em uma casa nas montanhas do estado do Rio de Janeiro (mais exatamente em Itatiaia). Enquanto chove opressivamente, crimes acontecem e há uma cerimônia nazista. Os personagens são sinistros ou decadentes: militares direitistas, jovens drogados, empresários suspeitos, guarda-costas. O enredo rompe a fronteira do realismo sem sair dele, como já se fez no cinema: o Luchino Visconti de *Os deuses vencidos* (1958) ou o Giuseppe Tornatore de *Uma simples formalidade* (1994). Não se trata de mera citação aproximativa: Márcio sempre esteve próximo ao cinema. Há seqüências perfeitas, como a do general dissertando sobre a "liturgia dos terroristas". Outra hora, a mulher do militar diz que "a melhor diversão da polícia é achar cadáveres, corpos em decomposição, ossadas, principalmente ossadas".[21]

Márcio Souza distancia-se completamente de qualquer comparação regionalista, seja dos paraenses Peregrino Júnior e Dalcídio Jurandir, seja do amazonense Álvaro Maia. Ele corre solto como nos tempos de roteirista da Boca do Lixo de São Paulo, estudante de sociologia da USP, impressionadíssimo com o espetáculo *O rei da vela* (1967), de Oswald de Andrade, com direção de José Celso Martinez Corrêa. Márcio terá um toque de Oswald em seu teatro.

Ao voltar a dirigir o Tesc, Márcio retomou o fio de sua biografia cênica. Afinal, foi lá que apresentou suas primeiras obras para o palco; foi o Teatro Experimental do Sesc de Manaus que ensejou *O palco verde* (1984). Depois de uma longa temporada no Rio de Janeiro, ocupando sobretudo cargos públicos – no Departamento Nacional do Livro e na Fundação Nacional das Artes, a Funarte, neste momento da vida em que os convites das universidades estrangeiras se acumulam e a carreira de romancista de sucesso lhe permitiria escrever em qualquer lugar, tal retorno às raízes é uma aposta pessoal de respeito. Com ela, Márcio alinha-se a intelectuais do porte de Luís da Câmara Cascudo (fixado no Rio Grande do Norte), Gilberto Freyre, Hermilo Borba Filho e Ariano Suassuna (Pernambuco), Jorge Amado (Bahia), Erico Verissimo (Rio Grande do Sul), Dalton Trevisan (Paraná) e Benedito Nunes (Pará), para ficar só em alguns exemplos.

Como Márcio Souza é romancista – e o romance não tem fronteiras, *Mad Maria* transformado em minissérie de TV em 2005 é mais uma prova disso –, não sabemos se a sua face de teatrólogo terá o mesmo trânsito de, digamos, um Ariano Suassuna de *O auto da Compadecida* (1959). Mas se há uma terra em transe dentro do Brasil, é a Amazônia. A região, aliás, tem forças nem sempre notadas. Basta que se saiba que sua movimentação teatral gerou um ensaio de bom fôlego: *Cenário de memórias – Movimento teatral em Manaus*, 1944-1968, de Selda Vale e Ediney Azancoth.[22] Não será, portanto, imprudente imaginar que a obra de Márcio para teatro restará.

Jefferson Del Rios é jornalista e crítico teatral, com especialização no Centre de Formation des Journalistes, de Paris. Trabalhou nos jornais Folha de S.Paulo *e* O Estado de S. Paulo *e nas revistas* Istoé *e* Bravo! *(na qual ainda colabora). Publicou diversos artigos sobre Márcio Souza e escreveu a apresentação do teatro reunido do autor, lançado em três volumes pela editora Marco Zero, de São Paulo, em 1997. Desde 2003 integra o quadro de professores de jornalismo cultural da Faculdade de Comunicação Social Cásper Líbero (SP).*

NOTAS

1 *A expressão amazonense*. São Paulo: Alfa-Omega, 1977.
2 Manaus: Fundação Cultural do Amazonas, 1976.
3 O teatro reunido do autor foi publicado em três volumes pela editora Marco Zero, de São Paulo, em 1997.
4 A série foi iniciada em 1997 com *Lealdade* (São Paulo: Marco Zero); depois, saíram os volumes *Desordem* (Rio de Janeiro: Record, 2001) e *Revolta* (editada em 2005 pela mesma editora). O derradeiro livro será *Derrota*.
5 *Breve história da Amazônia*. São Paulo: Marco Zero, 1994, p. 82.
6 *Loc. cit.*
7 *Ibidem*, pp. 83.
8 *Ibidem*, pp. 84.
9 *Ibidem*, pp. 85.
10 *Loc. cit.*
11 "A paixão de Ajuricaba". *In*: SOUZA, Márcio. *Teatro I*. São Paulo: Marco Zero, 1997, p. 25.
12 *Ibidem*, p. 46.
13 "Dessana, Dessana". *In*: SOUZA, Márcio. *Teatro I*. Edição citada, pp. 49-50.
14 *Ibidem*, p. 50.
15 "Tem piranha no pirarucu". *In*: SOUZA, Márcio. *Teatro II*. São Paulo: Marco Zero, 1997, p. 155.
16 *O palco verde*. Rio de Janeiro: Marco Zero, 1984, p. 45.
17 *Ibidem*, p. 47.
18 *In Teatro I*, p. 173.
19 "Pequeno teatro da felicidade". *In*: SOUZA, Márcio. *Teatro II*, p. 29. No referido volume, o título da peça aparece sem o artigo definido inicial.
20 *O palco verde*, p. 66.
21 "Ação entre amigos". *In*: SOUZA, Márcio. *Teatro III*, p. 198.
22 Manaus: Governo do Estado do Amazonas/Valer, 2001.

O princípio do velho mundo

Dessana, Dessana: história, cosmogonia e indigenismo

Lúcia Sá

Em conjunto, a obra de Márcio Souza pode ser lida como uma tentativa de reescrever a história do Brasil a partir da Amazônia. Episódios marginalizados no plano oficial – a resistência indígena à invasão portuguesa; as conturbações acreanas que precederam o Tratado de Petrópolis, a construção da Madeira–Mamoré – formaram, desde o princípio, a matéria-prima de suas peças, de seus romances e estudos. Mais recentemente, os romances que integram a planejada tetralogia *Crônicas do Grão-Pará e Rio Negro*, iniciada em 1997 com *Lealdade*,[1] embarcaram nessa missão de forma ainda mais clara, ao apresentarem uma versão radicalmente distinta da que se ensina nas escolas.

Nesse contexto, não deixa de ser surpreendente que os indígenas amazônicos tenham, no caso dos romances, presença modesta, e freqüentemente vinculada à estética modernista e irônica de Oswald de Andrade. Em *Galvez, imperador do Acre*,[2] por exemplo, os únicos índios que aparecem são canibais – e frutos da imaginação do protagonista-narrador, que quer tornar o seu relato mais aventuroso. Em *Lealdade*, uma famosa tirada de Oswald no "Manifesto Antropófago" (1928) – "Antes dos portugueses descobrirem o Brasil, o Brasil tinha descoberto a felicidade"[3] – é recriada pela boca de Alexandre Ferreira: "Haverá uma forma de existir mais completa que a que eles [os índios] encontraram, longe da fadiga e da ambição?".[4] Na mesma linha, *O fim do Terceiro Mundo*[5] recria a "revolução caraíba" de Oswald por meio de indígenas urbanos revolucionários, cujo único objetivo é se "divertir um pouco",[6] e um grupo terrorista "Jihad Jívaros" que quer expulsar todos os brancos e negros da Amazônia. É verdade que nem todas as referências são irônicas ou brincalhonas: o mau tratamento dos índígenas é repetidamente denunciado, a ponto de gerar, em *Mad Maria*,[7] a fortíssima imagem do índio ladrão de bugigangas que tem as duas mãos decepadas pelos brancos.

Mas o contato mais fértil com as culturas indígenas do Amazonas não se dá nos romances, e sim nas peças de teatro, especialmente em algumas das primeiras criações do autor: *A paixão de Ajuricaba*, *Dessana, Dessana* e *Jurupari, a guerra dos sexos* (de 1974, a primeira, e de 1975 as outras duas). Embora escritas e assinadas por ele, essas e as demais peças de Márcio Souza foram fruto de um prolongado trabalho de pesquisa coletiva por parte dos integrantes do grupo Teatro Experimental do Sesc – Tesc, em Manaus, durante toda a década de 1970.

Nessa época, a Amazônia chegava às primeiras páginas de jornais do exterior graças a um aumento espantoso na intensidade das queimadas promovidas pelas medidas econômicas do regime militar. Além disso, o mesmo governo acabava de criar a Zona Franca de Manaus, cujo propósito era atrair para a região investidores estrangeiros e turistas do Sul do país e romper o isolamento que se abatera sobre a Amazônia desde a derrocada do ciclo da borracha, nos princípios do século XX. Do ponto de vista dos militares, o plano de certa forma funcionou: como na segunda metade do século XIX, Manaus se viu invadida novamente por gentes vindas de outras partes do país – desta vez burocratas, pequenos comerciantes, montadoras e lojas cheias de produtos eletrônicos para serem consumidos pelos turistas do Sul.

Na visão dos militares, o "desenvolvimento" da Amazônia dependia de um conhecimento trazido de fora, pois a região não possuía, na sua opinião, uma cultura local capaz de tirá-la do "atraso" a que fora relegada. É o próprio Márcio Souza quem nos dá uma declaração do secretário da Cultura do Amazonas em 1974, segundo a qual "nada existia ali... a nossa produção cultural e artística era nula".[8] Foi com o objetivo de criticar essas visões que os jovens integrantes do Tesc resolveram investir numa produção teatral voltada para a sua própria região e centrada na cultura local. A primeira peça do grupo foi *Zona Franca, meu amor*, uma comédia de Márcio Souza bastante influenciada pelo humor oswaldiano. Mas os censores do regime não permitiram que o texto fosse encenado.

Talvez para burlar a censura, que por motivos óbvios tendia a se interessar mais por eventos contemporâneos, o grupo decidiu levar ao palco *A paixão de Ajuricaba* (1974), baseada na vida do líder manao que representa, mais do que nenhum outro herói indígena, a resistência à invasão estrangeira na região, por ter comandado uma revolta contra os portugueses que durou mais de cinco anos e ficou conhecida como a primeira confederação indígena do Amazonas. A peça se passa em 1728, ano da morte do herói, e foi escrita na linguagem elevada que caracteriza as traduções ao português de tragédias gregas ou da Bíblia. Seus personagens principais são Ajuricaba, sua mulher, Inhambu, o comandante português, um padre e um carcereiro indígena. O texto inclui, além disso, um coro que repete as perguntas feitas pelo trágico herói e por sua mulher – perguntas que ecoam, por sua vez, questões centrais do dogma cristão: Ajuricaba não agira por amor de sua gente? Se agira assim, por que o estavam punindo? E por que razão somos nós, os seres humanos, tão dominados pelo medo? No final, essas grandes perguntas filosóficas sucumbem ao peso dos fatos históricos: Ajuricaba é assassinado pelos guardas que supostamente o estavam levando para ser julgado em Belém.

A estrutura de tragédia grega permitiu ao grupo "elevar" (em termos ocidentais) o herói indígena ao nível de heróis reconhecidos pela cultura ocidental. Em outras palavras, a nobreza de Ajuricaba torna-se comparável, na peça, à de personagens do mundo clássico ou do próprio Jesus Cristo, cuja paixão ele reproduz ao morrer tentando salvar a sua gente. O esforço de revisão histórica é, pois, evidente: a peça se propõe a celebrar um herói amazônico que não era (e continua não sendo) reconhecido pela história oficial do país. Ao mesmo tempo, a discussão de conceitos como a justiça e a opressão permitia que Márcio Souza e seu grupo usassem o herói do século XVIII como um meio de criticar a injustiça e a opressão cometidos pelo regime militar dos anos 1970. Por esse motivo, o texto inclui anacronismos deliberados, cuja função é tornar claros os vínculos entre a opressão sofrida por Ajuricaba e a situação política contemporânea. A região do rio Negro, por exemplo, é freqüentemente chamada de "país romântico" – uma curiosa apropriação do epíteto muito usado para desmerecer descrições positivas das culturas indígenas. As referências a "cárceres imundos" trazem à lembrança as práticas do regime militar, assim como a menção a futuros desastres ecológicos antecipa a destruição da floresta que estava para ser levada a cabo pelas já mencionadas medidas econômicas do mesmo governo ditatorial.

Enquanto Ajuricaba se baseia nos relatos dos vencedores, isto é, na versão dos fatos tal como ela foi contada pelos invasores europeus, as próximas peças do Tesc, *Dessana, Dessana* e *Jurupari, a guerra dos sexos* tiveram como fonte a literatura indígena do Alto Rio Negro. Como Márcio Souza nos explica em *O palco verde,* apesar de os membros do Teatro Experimental do Sesc pertencerem a distintas classes sociais, a maioria era composta por estudantes universitários de classe média que pouco conheciam da Amazônia além de Manaus, menos ainda a região do rio Negro. Foi por intermédio da literatura indígena que eles puderam entrar em contato, pela primeira vez, com a história profunda de sua própria região.

A literatura em questão são dois textos do Alto Rio Negro: *A lenda do Jurupari*, publicada pela primeira vez em italiano por Ermano Stradelli em 1890,[9] e a história da criação dos índios desana – a grafia com dois "esses", adotada no título da peça, segue a pronúncia dos indígenas –, que estava sendo escrita por Umúsin Panlõn Kumu e Tolamãn Kenhíri, e que Márcio Souza e o grupo conheceram na versão reduzida de um parente destes, Feliciano Lana. Ambos são textos cosmogônicos, isto é, contam a história da criação do mundo (no caso desana) ou de suas modificações subseqüentes por heróis transformadores (*Jurupari*). O texto de Stradelli serviu como base para a peça *Jurupari, a guerra dos sexos,* enquanto a história de criação desana deu origem à peça *Dessana, Dessana*. Por limites de espaço e porque nela os efeitos do contato com o texto indígena foram mais radicais – inspirando não apenas a trama da peça, mas a própria forma –, vou me concentrar nesta última.

Assinada por Márcio Souza e Aldísio Filgueiras, com música de Adelson Oliveira, *Dessana, Dessana* foi a experiência mais próxima do Tesc com o teatro ritual – um gênero raramente encenado no Brasil. Como noutros casos, essa peça foi o resultado de prolongada pesquisa coletiva, da qual fez parte, como informante principal, o padre salesiano Casimiro Bekstá, que vivera mais de 20 anos entre os índios desana. Além de dar um seminário para o grupo sobre o modo desana de ser, o padre Bekstá os apresentou para o desana Feliciano Lana, primo de Tolamãn Kenhíri e sobrinho de Umúsin Panlõn Kumu, autores de *Antes o mundo não existia*, que viria a ser publicado dali a poucos anos com a intermediação do próprio Márcio Souza.[10] Alguns dias antes da estréia, Tolamãn Kenhíri foi a Manaus para assistir aos ensaios, e nas palavras de Márcio Souza, "fez algumas correções no libreto, ensinou números de dança, um pouco de etiqueta desana e mostrou-se curioso pelo teatro. Não imaginava que os brancos soubessem fazer coisas como aquela..."[11].

Dessana, Dessana foi encenada por 18 atores no lendário Teatro Amazonas. À exceção da noite de 20 de julho de 1975, quando a platéia se encheu de representantes de vários grupos indígenas do rio Negro, o público consistia de adultos da classe média de Manaus, que comprava ingressos para o espetáculo. A peça é descrita como uma cantata, baseada, como diz Márcio Souza, um pouco pretensiosamente em Monteverdi. O elenco incluía vários tenores, barítonos, sopranos e contraltos. Os personagens são Yebá-Beló, avó do mundo, encenada por três sopranos e um contralto; seus netos, os quatro Trovões, representados por dois tenores, um baixo e um barítono; outro neto, Sulãn-Panlãmin (um tenor); o transformador Boleka (um tenor), a gente desana que subiu o rio Amazonas e fundou, no caminho, aldeias e cidades; a filha do Trovão; a mãe de Bisiu (Jurupari) e um coro.

O enredo é a cosmogonia desana, na versão compacta de Feliciano Lana. A conexão entre os protagonistas da cosmogonia e o público se faz por meio do personagem Dessana, um índio desana que no início da peça aparece vestido como qualquer brasileiro pobre e tenta se locomover entre a poluição, trânsito pesado e correria generalizada da Manaus dos tempos da Zona Franca. De cara para o público, ele canta a versão bíblica da criação do mundo:

> O mundo
> foi criado
> em sete dias.
> É o que dizem, não é verdade?
> E no último dia
> o criador descansou
> É o que dizem, não é verdade?
> Em sete dias tudo começou.
> É o que dizem, não é verdade?[12]

Essa versão bíblica é, no entanto, questionada desde o princípio pelos insistentes pedidos de confirmação ("não é verdade?"), que, embora apareçam sempre com interrogação nas versões escritas da peça, têm entonação muito mais ambígua na versão cantada, em que podem soar tanto como "não é verdade?", como "não é verdade".[13] O coro tenta dissuadi-lo da dúvida, confirmando que "Sim, está escrito / em sete dias tudo começou / o céu, a terra, os rios / e todos nós, / e todos nós".[14]

Dessana, contudo, vai aos poucos confirmando mais claramente sua descrença na versão bíblica da criação:

> Mas o certo é que
> o mundo precisa ser criado
> todos os dias,
> é o que diz
> a pedra para a outra pedra.
> É o que dizem os pássaros
> para as nuvens.
> E não descansa nunca
> o criador.[15]

Assim, se estabelece um debate entre o personagem e o coro, já que este continua a repetir o gênesis bíblico. *Dessana, Dessana* abre, portanto, com um conflito entre duas visões de mundo: a cristã e a indígena. Mas Dessana aos poucos consegue convencer o coro a repetir a sua história da criação, ao mesmo tempo em que o cenário vai se desvestindo da parafernália urbana, restando apenas o palco escuro e um banquinho cerimonial. O grupo começa a cantar, então, a cosmogonia desana.

Dessana, o índio urbanizado, serve como intermediário entre o texto cosmogônico e a Manaus contemporânea, onde os índios são indistinguíveis de brasileiros pobres ou são vítimas do preconceito do restante da população. No final do espetáculo o palco volta à paisagem urbana e Dessana é expulso com rispidez por um policial. A presença desse personagem no começo e no final da peça serve para lembrar o público da situação dos índios destribalizados na Manaus contemporânea, ao mesmo tempo em que estabelece uma relação de continuidade entre o índio urbanizado e as cosmogonias tribais. Pois é por intermédio de um índio aparentemente desligado de sua cultura que a peça interrompe o tempo da cidade – marcado pela roda-viva dos empregados da Zona Franca – para levar o público a uma outra noção de tempo, o tempo cosmogônico.

Além de aparecer no começo e no final da peça, Dessana também desempenha um papel importante no desenrolar da cosmogonia em si, como narrador, comentador e instigador. Como personagem, sua função é trazer a cosmogonia para o presente, atualizando-a. Por causa dele, o público é obrigado a se defrontar visualmente com um índio destribalizado, um índio pobre de cidade e, ao mesmo tempo, relacionar essa imagem tão familiar de Manaus com a beleza e a grandiosidade da cosmogonia desana.

A música da peça é inteiramente ocidental e inclui diversos estilos. Enquanto algumas das canções de fato se aproximam da cantata religiosa, outras se definem mais com base nos ritmos populares como o samba ou a balada. Tal escolha musical segue a lógica do grupo, que não queria que o seu público de classe média urbana visse os índios como objetos etnográficos. Em vez de trazer para o palco a reprodução cuidadosa de um ritual desana, eles preferiram compensar a estranheza do texto cosmogônico indígena com ritmos mais familiares. Assim, enquanto o texto permanece bastante fiel às fontes indígenas, a música leva o público de volta a um universo conhecido que inclui, com a cantata, o próprio ritual da missa católica – provavelmente sua experiência mais próxima do sagrado.

A música também permite a repetição (um elemento ritual importante) e a multiplicação de vozes. O papel de Yebá-Beló, por exemplo, é desempenhado por quatro mulheres, três sopranos e uma contralto, o que afasta o conceito de "criador" da individualização tão contrária às culturas indígenas. Por outro lado, a multiplicação de vozes permite a representação dos quatro elementos associados à presença física de Yebá-Beló: o cesto com sua base, o banquinho sagrado, o alucinógeno ipadu e o cigarro. Como na cosmogonia desana clássica publicada por Kumu e Kenhíri, Yebá-Beló cria a si mesma baseando-se nos elementos centrais da vida desana. Em outras palavras, os desana só podem existir (isto é, ser criados) quando já existirem aqueles elementos que os definam social e culturalmente como desana. A criação do mundo não é só biológica: é também um ato cultural.

Para criar o mundo, Yebá-Beló tem de pedir ajuda aos quatro Trovões, seus irmãos. Na versão de *Antes o mundo não existia*, os Trovões foram criados por ela mesma, e são incapazes de criar o mundo, por preguiça ou bebedeira. Na peça, eles aparecem simplesmente como irmãos de Yebá, sem ter sido criados por ela, e não podem levar a cabo a criação do mundo porque o projeto ultrapassa, segundo dizem, a sua capacidade. Tanto uma como a outra versão enfatizam o conflito entre Yebá-Beló e os Trovões, de forma a fazer com que a criação não seja um trabalho garantido, para ser cumprido em seis dias por um deus todo-poderoso, como na tradição bíblica, mas uma tarefa que corre sempre o risco de não se completar, pois depende de negociações e acordos, e de ordens que podem ser obedecidas ou não. Exatamente como em *Antes o mundo não existia*, a criação do mundo acaba sendo efetivada não pelos Trovões, mas por um adolescente, Sulãn-Panlãmin.

Sulãn, por sua vez, tem de pedir as riquezas do Trovão Avô do Céu (Trovão da Terceira Casa em *Antes o mundo não existia*). Na peça, diferentemente do texto de Kumu e Kenhíri, o Trovão dá a Sulãn uma escolha: ele pode criar o mundo com ipadu (caso em que o mundo seria imutável e nada morreria) ou com enfeites (tendo como conseqüência um mundo para sempre mutável e instável). Sulãn tenta pegar ipadu, mas é atingido por um raio, e toma, então, os enfeites. O resultado não é, como seria de esperar, necessariamente negativo:

> Ou um mundo
> de dias e noites e de depois.
> Um mundo de dizer coisas vãs
> e esquecer.
> Me acreditem,
> Deixei o ipadu no céu,
> para que existissem as mulheres.
> Me acreditem,
> deixei o ipadu no céu,
> para que existissem os homens.
> Deixei o ipadu no céu,
> para que as coisas mudassem.[16]

Como tantas cosmogonias ameríndias, a peça enfatiza a natureza sempre mutável do mundo. Apresentada para um público de classe média urbana, essa idéia entra em choque, necessariamente, com conceitos herdados da tradição bíblica, onde a instabilidade e a precariedade têm sentido negativo. Em *Dessana, Dessana*, pelo contrário, o elogio da instabilidade continua, pois os seres criados são descritos como adultos, todavia, agem como crianças, e em vez de sofrerem punição pelo criador por comer da árvore do conhecimento, eles só estarão prontos para habitar o mundo depois de passar por um processo de educação:

> Assim, o menino decretou
> que um dia os homens partiriam,
> deixariam o mundo subterrâneo
> e se embriagariam de conhecimento.[17]

A busca do conhecimento se faz por meio da viagem rio acima no barco-cobra – um tema comum a muitas cosmogonias do rio Negro. Para liderar a viagem, Sulãn-Panlãmin desperta Boleka, o primeiro chefe desana. Mas o homem branco tenta convencer os demais a não embarcarem:

> Vamos ficar aqui,
> construir cidades,
> inventar máquinas
> que façam o trabalho por nós.
> Vamos ficar aqui
> e dominar a natureza,
> domar o trovão
> e submeter os rios.[18]

Como os outros duvidam de suas promessas, ele lhes mostra o trovão dominado, isto é, a arma de fogo. No final, fica sozinho: como em *Antes o mundo não existia* (e outras histórias de criação amazonenses), a violência do homem branco acaba por isolá-lo dos demais seres humanos. Em *Dessana, Dessana* esse comportamento desemboca no clímax da peça, quando Dessana, Boleka, Sulãn-Panlãmin e o coro avisam os demais e o público sobre o perigo representado pelo homem branco:

Fora, fora, fora,
pele branca,
filho da violência.
Fora, fora, fora,
pele branca,
filho da mentira.
Fora, fora, fora,
pele branca,
filho do engano.[19]

O segundo ato descreve a viagem do barco-cobra. Em *Antes o mundo não existia,* a parte correspondente da narrativa oferece uma lista de todas as casas onde pára o barco, num movimento repetitivo que tem objetivos rituais, e é potencialmente monótono para um espectador/leitor não-indígena. Talvez por essa razão, a peça descreva apenas algumas das paradas do barco-cobra, mas se detenha mais tempo na descrição de suas funções. Na Casa da Pedra Branca, por exemplo, os seres humanos aprendem a cultivar a terra, pescar e caçar; na Casa da Fileira de Bancos eles aprendem a comemorar, dançar, tomar bebidas alcoólicas, morar coletivamente – e outros atributos da vida em comunidade. A última casa é a Casa do Lago de Leite, ou a casa de prazeres sexuais, que abre o tema da fecundação das mulheres por uma fruta. Como na tradição do rio Negro, a jovem engravidada pela fruta é a mãe de Bissiu ou Jurupari. Mas enquanto em *Antes o mundo não existia* e em outros textos sobre Jurupari o tema central é o poder (o poder de um grupo político sobre o outro; o poder dos homens sobre as mulheres etc.), em *Dessana, Dessana* Jurupari é discutido exclusivamente em termos sexuais. A fruta que engravida a mulher se torna, assim, uma metáfora para o desejo sexual – uma leitura provavelmente mais próxima (por inversão) da tradição bíblica judaico-cristã do que de outras abordagens do Jurupari. A parte cosmogônica da peça termina com uma celebração do amor sexual por meio de coros de homens e mulheres, numa antecipação da próxima peça do grupo, *Jurupari, a guerra dos sexos.* Mas numa interrupção brechtiana da catarse, o texto volta ao presente da moderna Manaus, com o personagem Dessana explicando ao público que o que acaba de ser narrado aconteceu "antes do começo", isto é, pertence ao tempo cosmogônico.

Até certo ponto pode-se dizer que *Dessana, Dessana* pertence ao gênero do teatro ritual tal como ele foi definido por teóricos do século XX como Antonin Artaud, Aimé Césaire e Peter Brook. Um argumento comum a esses autores e diretores é a noção nietzschiana de que o teatro se originou com o ritual e que a única forma de recuperar o seu significado no mundo contemporâneo é reatando os seus laços com o que Brook denomina "o sagrado". Embora Márcio Souza, na sua descrição da história do grupo, nunca aponte para ligações entre *Dessana, Dessana* e os movimentos de teatro ritual, me parece claro que o fato de o Tesc ter escolhido a cosmogonia desana como texto a ser encenado teria a ver com um desejo de romper com o espetáculo burguês que dominava a cena em Manaus; em outras palavras, o grupo tentava "preencher os espaços vazios" (para usar a expressão do título de Peter Brook[20]) do teatro brasileiro.

E o teatro brasileiro estava, por assim dizer, cheio de espaços vazios. Até os anos de 1940, os palcos nacionais tinham sido ocupados quase exclusivamente pelas comédias de costumes ao estilo de Martins Pena (encenado mais tarde pelo próprio Tesc). Foi nessa década que o cenário teatral do Rio se viu sacudido pelos textos revolucionários de Nelson Rodrigues nas encenações não-realistas de Ziembinski. Embora essas encenações tivessem gerado seguidores como o Teatro Experimental do Negro, de Abdias do Nascimento, e apesar da vitalidade do teatro político dos inícios dos anos de 1960, poucas foram as experiências no Brasil com o teatro ritual propriamente dito. As exceções foram a lendária montagem de *O rei da vela* por José Celso Martinez Corrêa em 1967, cuja temporada foi encurtada pela censura, e a também lendária *Roda viva,* de Chico Buarque de Holanda, atacada por uma milícia de direita em 1968. Ambas as peças usavam técnicas artaudianas, especialmente o "teatro da crueldade".[21]

Dois anos depois da estréia de *Dessana, Dessana,* os palcos brasileiros veriam a mais bem-sucedida montagem jamais feita no Brasil no gênero do teatro ritual: a adaptação do romance *Macunaíma* (1928), de Mário de Andrade, pelo diretor Antunes Filho. *Dessana, Dessana* tinha mais similaridades com essa concepção de teatro ritual do que com o "teatro de crueldade": ambas as peças apresentavam o ritual como uma experiência com o domínio do sagrado – experiência que a vida moderna e as religiões convencionais pareciam ter perdido. Tanto uma como a outra montagem dependiam muito de elementos visuais, em especial da iluminação e de cenários não realistas. As duas peças tentavam, além disso, envolver o público com elementos "mágicos": metamorfose, desaparecimentos etc. Contudo, enquanto a encenação de *Macunaíma* para platéias do Rio e de São Paulo repetia, por assim dizer, o sentido da viagem do herói do título da Amazônia para o Sul do Brasil, *Dessana, Dessana* tinha outro objetivo político: fazer com que o público de Manaus passasse a olhar de forma distinta para os índios que eles viam todos os dias como miseráveis e deslocados. Ao comparar a história de criação desana com o gênesis bíblico, o personagem Dessana recusava uma idéia única de origem, de uma única versão da história – um gesto que não deixava de ser subversivo naqueles anos tão repressores. Os militares estavam, afinal de contas, tentando impor à Amazônia uma versão única da história que eles queriam inevitável: o "desenvolvimento".

Pois é justamente esse aspecto político da obra que torna a sua classificação mais complicada. Se é verdade que a montagem de *Dessana, Dessana* foi uma das mais ambiciosas produções de teatro ritual no Brasil (e única, que eu saiba, a levar ao palco uma cosmogonia indígena), a peça de Márcio Souza e Aldísio Filgueiras não pode ser explicada exclusivamente nesses termos. A presença do personagem Dessana funciona como um contraponto ao teatro ritual, pois requer uma constante interrupção no envolvimento do público, que é obrigado a contemplar e reavaliar uma situação política, social e racial que faz parte do seu dia-a-dia. *Dessana, Dessana* torna a cosmogonia do rio Negro politicamente relevante no contexto contemporâneo, conectando o seu aspecto ritual com questões ligadas à vida política imediata e ao sentido mesmo da história como discurso.

Lúcia Sá, professora de literatura brasileira na Universidade de Stanford (EUA), é autora de Rain Forest Literatures – Amazonian Texts and Latin American Cultures *(Minneapolis: University of Minnesota Press, 2004) – que traz parte do presente ensaio, porém em uma versão diferente – e de vários artigos a respeito da produção literária nacional, publicados em veículos acadêmicos.*

NOTAS

1 São Paulo: Marco Zero. Neste trabalho utilizo a edição de 2001 (Rio de Janeiro: Record). Já foram lançados até agora mais dois títulos: *Desordem* (Rio de Janeiro: Record, 2001) e *Revolta* (também publicado pela editora carioca, em 2005); o último volume será *Derrota*.

2 Manaus: Fundação Cultural do Amazonas, 1976. No presente ensaio uso a edição de 1995 (São Paulo: Marco Zero).

3 *In*: SCHWARTZ, Jorge. *Vanguardas latino-americanas – Polêmicas, manifestos e textos críticos*. São Paulo: Iluminuras/Editora da Universidade de São Paulo – Edusp/Fundação de Amparo à Pesquisa do Estado de São Paulo – Fapesp, 1995, pp. 142-147.

4 Edição citada, p. 158.

5 São Paulo: Marco Zero, 1990.

6 Edição citada, p. 230.

7 Rio de Janeiro: Civilização Brasileira, 1980.

8 *O palco verde*. Rio de Janeiro: Marco Zero, 1984, p. 31.

9 O texto está reproduzido em: MEDEIROS, Sérgio (org.). *Makunaíma e Jurupari – Cosmogonias ameríndias*. São Paulo: Perspectiva, 2002, pp. 29-228.

10 São Paulo: Cultura, 1980.

11 *O palco verde*, p. 34.

12 *Teatro I*. São Paulo: Marco Zero, 1997, p. 49.

13 Gravação em vídeo do concerto *Dessana, Dessana, ou O começo antes do começo*, com a Amazonas Filarmônica e Coro Lírico do Teatro Amazonas. Gravado ao vivo no Teatro Amazonas, em 5 de dezembro de 2000. A fita me foi enviada por Márcio Souza.

14 *Teatro I*, p. 49.

15 *Ibidem*, pp. 49-50.

16 *Ibidem*, p. 63.

17 *Ibidem*, pp. 65-66.

18 *Ibidem*, p. 71.

19 *Ibidem*, p. 72.

20 Naturalmente, refiro-me a *The Empty Space* (1969).

21 Antonin Artaud define o "teatro da crueldade" como aquele que pode despertar o coração e os nervos por meio da música, da iluminação, de cores fortes e, sobretudo, de imagens violentas, de sangue e de encenação de crimes hediondos. Ver, de Artaud, *O teatro e seu duplo*. Tradução de Teixeira Coelho. São Paulo: Martins Fontes, 1993.

Breve história da Amazônia e outras histórias

OBRAS DO AUTOR*

1. Romances

Galvez, imperador do Acre. Manaus: Fundação Cultural do Amazonas, 1976. **

Operação Silêncio. Rio de Janeiro: Civilização Brasileira, 1979.

Mad Maria. Rio de Janeiro: Civilização Brasileira, 1980. **

A resistível ascensão do Boto Tucuxi. Rio de Janeiro: Marco Zero, 1982.

A ordem do dia – Folhetim voador não-identificado. Rio de Janeiro: Marco Zero, 1983.

A condolência. Rio de Janeiro: Marco Zero, 1984.

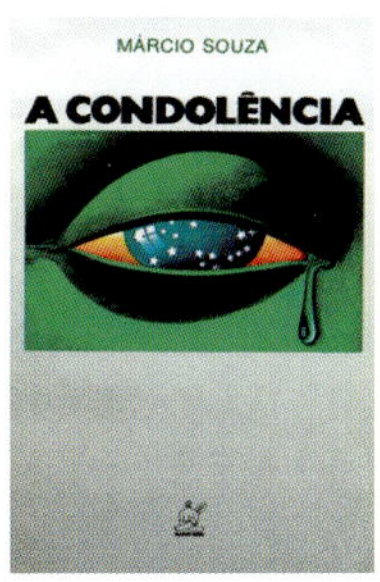

O brasileiro voador. São Paulo: Marco Zero, 1986.

O fim do Terceiro Mundo. São Paulo: Marco Zero, 1990.

Lealdade. São Paulo: Marco Zero, 1997.**

Desordem. Rio de Janeiro: Record, 2001.

Revolta. Rio de Janeiro: Record, 2005.

NOTA DA REDAÇÃO: Os três últimos títulos integram a tetralogia *Crônicas do Grão-Pará e Rio Negro*; *Derrota*, o derradeiro livro da série, deve ser lançado em 2006.

(*) Os dados referem-se à primeira edição de cada uma delas; (**) Livros relançados pela Record, do Rio de Janeiro, que, a partir de 2001, passou a publicar os trabalhos de ficção de Márcio Souza, dando início também à reedição dos volumes esgotados.

2. Contos

A caligrafia de Deus. São Paulo: Marco Zero, 1994.

3. Peças teatrais

Dessana, Dessana (com Aldísio Filgueiras). Manaus: Teatro Experimental do Serviço Social do Comércio – Sesc/Imprensa Oficial do Governo do Amazonas, 1976.
N.R.: Trata-se do libreto com o texto da primeira versão do espetáculo e informações sobre o grupo do Tesc.

As folias do látex. Manaus: Prefeitura Municipal, 1976.

"Contatos amazônicos de terceiro grau". *In*: ESCOBAR, Ruth (direção editorial). *Feira brasileira de opinião*. São Paulo: Global, 1978, pp. 203-214.

Teatro indígena do Amazonas ("A paixão de Ajuricaba", "A maravilhosa história do sapo Tarô-Bequê" e "Jurupari, a guerra dos sexos"). Rio de Janeiro: Codecri, 1979.

As folias do látex/Tem piranha no pirarucu. Rio de Janeiro: Codecri, 1979.

Teatro, 3 v. (I – "A paixão de Ajuricaba", "Dessana, Dessana, ou O começo antes do começo", "Jurupari, a guerra dos sexos", "A maravilhosa aventura [sic] do sapo Tarô-Bequê" e "Contatos amazônicos de terceiro grau"; II – "Pequeno teatro da felicidade", "As folias do látex" e "Tem piranha no pirarucu"; III – "A resistível ascensão do Boto Tucuxi", "O elogio da preguiça" e "Ação entre amigos"). São Paulo: Marco Zero, 1997.
N.R.: No interior do primeiro volume, a peça infantil de Márcio Souza aparece com o título "A maravilhosa história do sapo Tarô-Bequê", ou seja, diferente da capa do mencionado livro.

Não era bem isto que eu queria, ou de onde menos se espera é que não sai nada mesmo. Inédito, 2003.

Sábados detonados. Texto não-publicado, 2004.

4. Ensaios

Livros

O mostrador de sombras – Notas sobre a arte do cinema. Manaus: Editora Sérgio Cardoso/-União Brasileira de Escritores – Amazonas, 1967.

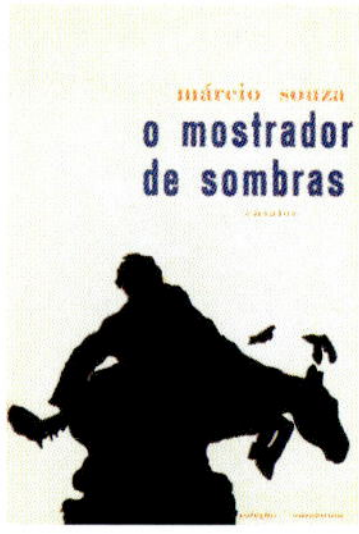

A expressão amazonense – Do colonialismo ao neocolonialismo. São Paulo: Alfa-Omega, 1977.

O palco verde. Rio de Janeiro: Marco Zero, 1984.

Um escritor na biblioteca. Curitiba: Biblioteca Pública do Paraná/Fundação Cultural de Curitiba, 1985.

O empate contra Chico Mendes. São Paulo: Marco Zero, 1990.

Breve história da Amazônia – A incrível história de uma região ameaçada contada com o apai-

xonado conhecimento de causa de um nativo. São Paulo: Marco Zero, 1994.

"Teatro, circo e ópera?". *In Um olhar sobre a cultura brasileira* (org., com Francisco Weffort). Rio de Janeiro: Associação de Amigos da Fundação Nacional de Arte – Funarte, 1998, pp. 193-215.

Silvino Santos, o cineasta do ciclo da borracha. Rio de Janeiro: Funarte, 1999.

"A verdadeira nação de Rafael Bentes". *In Entre Moisés e Macunaíma – Os judeus que descobriram o Brasil* (com Moacyr Scliar). Rio de Janeiro: Garamond, 2000, pp. 85-128.

Fascínio e repulsa – Estado, cultura e sociedade no Brasil. Rio de Janeiro: Fundo Nacional de Cultura, 2000.

Publicados em periódicos

"Impressões sobre história, literatura e romances históricos". *In 34 Letras* (revista). Rio de Janeiro, n. 4, junho de 1989, pp. 62-67.

"Amazônia e modernidade". *In Estudos avançados* (revista). São Paulo: Instituto de Estudos Avançados da Universidade de São Paulo – IEA-USP, n. 45, 2002, pp. 31-36.

"Afinal, quem é mais moderno neste país?" *In Estudos avançados* (revista). São Paulo: IEA-USP, n. 53, 2005, pp. 87-96.

Edição mimeografada

A cultura amazonense e a lei de proteção aos quelônios. Manaus: Departamento de Turismo e Promoções do Estado do Amazonas, 1965.
N.R.: Texto-base da palestra proferida no Departamento de Turismo e Promoções do Estado do Amazonas, distribuído aos participantes do evento.

5. Participação em livros de fotografia

Anavilhanas – O jardim do rio Negro. Fotos de José de Paula Machado. Rio de Janeiro: Agir, 1996.

Parque Nacional Jaú – O médio rio Negro. Fotos de José de Paula Machado. Rio de Janeiro: Agir, 1998.

Pico da Neblina – Origens de nossa civilização. Fotos de José de Paula Machado. Rio de Janeiro: Agir, 2001.

6. Textos incluídos em anais e em volumes de ensaios, de artigos e de ficção organizados por outros autores

"A caligrafia de Deus". *In*: ANTÔNIO, João (org.). *Malditos escritores*. São Paulo: *Extra – Realidade Brasileira*, 1977, pp. 51-61.
N.R.: Conto.

"Bruscamente no verão passado". *In*: ANDRADE, Jefferson de (org.). *Um prazer imenso – Contos eróticos masculinos*. Rio de Janeiro: Record, 1986, pp. 61-69.

"*Operação Silêncio* – Cenas da rua Maria Antônia". *In*: SANTOS, Maria Cecília Loschiavo dos (org.). *Maria Antônia: uma rua na contramão*. São Paulo: Studio Nobel, 1988, pp. 150-154.
N.R.: Depoimento.

"O teatro na Amazônia do ciclo da borracha". *In Anais da Biblioteca Nacional*, vol. 110. Rio de Janeiro: Fundação Biblioteca Nacional, 1990, pp. 7-23.
N.R.: Ensaio.

"No fim da tarde, antes do jantar". *In*: JATOBÁ, Roniwalter (org.). *Trabalhadores do Brasil – Histórias do povo brasileiro*. São Paulo: Geração, 1998, pp. 185-203.
N.R.: Conto de *A caligrafia de Deus*.

"Teatro sem palavras – Pindorama no primeiro século". *In*: NOVAES, Adauto (org.). *A outra margem do ocidente*. São Paulo/Brasília/Rio de Janeiro: Companhia das Letras/Ministério da Cultura/Funarte, 1999, pp. 93-106.
N.R.: Artigo.

"Amazônia, modernidade e atraso ou o Brasil e seus paradoxos regionais". *História, ciências e saúde – Manguinhos – Visões da Amazônia*. Rio de Janeiro: Fundação Oswaldo Cruz - Fiocruz, vol. VI (suplemento), setembro de 2000, pp.1.061-1.071.
N.R.: Depoimento.

"Amazônia e modernidade". *In*: TORRES, Sonia (org.). *Raízes e rumos*. Rio de Janeiro: 7 Letras, 2001, pp. 92-100.
N.R.: Ensaio.

"Brás Cubas e Rip Van Winkle". *In*: BRANT, Leonardo (org.). *Políticas culturais*. São Paulo: Manole, 2003, vol. I, pp. 55-61.
N.R: Ensaio também publicado na Bulgária, em português. Ver CHERGOVA, Vesela; MANGATCHEVA, Donka; VUCHEVA, Evguenia (orgs.). *Colóquio Internacional – Actas. Dez anos de filologia portuguesa na Universidade de Sófia Sveti Kliment Ohridski*. Sófia: Universidade de Sófia, 2002, pp. 123-128.

"A cachoeira de pedras afiadas". *In*: ALMEIDA, Miguel de (org.). *Brilho nos olhos mortos e outras histórias*. São Paulo: Sesc-SP/Lazuli, 2004, pp. 65-70.
N.R.: Conto.

"Getúlio Vargas: o pai dos pobres e do atraso brasileiro". *In*: ANDRADE, Welington (org.). *Imagens da Era Vargas – Artigos, fábulas e memórias*. São Paulo: Sesc-SP, 2004, pp. 43-44.
N.R.: Crônica feita para a mostra "Imagens da Era Vargas", organizada por Cristiano Mascaro no Sesc Ipiranga.

7. Antologia

Márcio Souza. *In*: DIMAS, Antonio (org.). Coleção Literatura comentada. São Paulo: Abril Educação, 1982.

8. CD

O escritor por ele mesmo – Márcio Souza (leitura de trechos de *O fim do Terceiro Mundo* e de *Lealdade*; o disco traz um encarte, contendo o texto "Por que escrevo", breve cronologia, bibliografia e transcrição dos fragmentos lidos). São Paulo: Instituto Moreira Salles, 2001.
N.R.: A gravação das leituras foi feita no Rio de Janeiro, em 1998, para a série "O escritor por ele mesmo" – de encontros de autores com o público – e teve sua primeira veiculação em fita cassete.

9. Filmes

Irreal. Curta-metragem, 1965. 4'. 16 mm. Em cores.

Prelúdio azul. Curta-metragem, 1965. 4'. 16 mm. Em cores.

Rapsódia incoerente. Curta-metragem, 1965. 4'. 16 mm. Em cores.

Manaus fantástica. Curta-metragem, 1966. 10'. 16 mm. Preto-e-branco.

Sentir a vida. Curta-metragem, 1966, 20'. 16mm. Preto-e-branco.

Vale quanto pesa. Curta-metragem, 1966. 30'. 35mm. Preto-e-branco.

Bárbaro e nosso – Imagens para Oswald de Andrade. Curta-metragem, 1969. 10'. 35mm. Preto-e-branco.

Roadway, o porto de Manaus. Curta-metragem, 1972. 10'. 16 mm. Em cores.

A selva. Longa-metragem, 1972. Adaptação do romance homônimo de Ferreira de Castro [1930]. 75'. 35 mm. Em cores.

Rio de sangue. Longa-metragem, 1972. Inacabado. 35mm. Em cores.

A adolescente desaparecida. Curta-metragem, 1973. 10'. Vídeo. Em cores.

Manaus, porta do Eldorado.

Curta-metragem, 1973. 10'. 35mm. Em cores.

O começo antes do começo. Curta-metragem, 1974. 30'. 16 mm. Em cores.

Funarte – A história de uma experiência. Curta-metragem, 2000. 15'. Vídeo. Em cores.

10. Em outros idiomas

Alemão

Galvez, Kaiser von Amazonien [*Galvez, imperador do Acre*]. Tradução de Ray-Güde Mertin. Colônia: Kiepenheuer und Witsch, 1983.

Mad Maria – Oder das Klavier im Fluss [*Mad Maria*]. Tradução de Ray-Güde Mertin. Colônia: Kiepenheuer und Witsch, 1984.

Herliches Beileid, Brazilien [*A condolência*]. Tradução de Sarita Brandt. Colônia: Kiepenheur und Witsch, 1986.

"Die Portugiesen im dritten Jahrtausend" ["Os portugueses no futuro"]. *In*: KURT, Meyer-Clason (org.). *Lateinamerikaner über Europa*. Tradução de Ray-Güde Mertin. Frankfurt: Suhrkamp, 1987, pp. 227-244.
N.R.: Ensaio inédito no Brasil.

Der fliegende Brasilianer [*O brasileiro voador*]. Tradução de Karin Von Schweder-Schreiner. Berlim: Diá, 1990.

Búlgaro

"Boji krasnopis" ["A caligrafia de Deus"]. *In*: ALVES, José A. Lindgren (org.). *Sedem brazilski razkazi* [*Sete contos brasileiros*]. Tradução de Yordanka Velinova. Sófia: Pet Plus, 2003, pp. 119-158.

Espanhol

Gálvez, emperador del Amazonas [*Galvez, imperador do Acre*]. Tradução de Basílio Losada. Barcelona: Argos Vergara, 1981.

Mad María. Tradução de Basílio Losada. Barcelona: Argos Vergara, 1981.

Francês

L'empereur d'Amazonie [*Galvez, imperador do Acre*]. Tradução de Béatrice de Chavagnac. Paris: Jean-Claude Lattes, 1983.

Mad Maria. Tradução de Jacques Thiériot. Paris: Pierre Belfond, 1986.

Le brésilien volant [*O brasileiro voador*]. Tradução de Lyne Strouc. Paris: Pierre Belfond, 1990.

"La calligraphie de Dieu" ["A caligrafia de Deus"]. *Brésil*. Tradução de Cecile Tricoire. Paris, n. 72, 1997.
N.R.: Número especial da revista contendo exclusivamente o conto.

"Les rencontres du Salon du Livre, Brésil/Brasil" ["Os encontros do Salão do Livro"]. *In*: TOURAINE, Alain (org.). Tradução de François Boutot, Manuel Leonetti e Serge Ezdra. Paris: Syndicat National de l'Édition, 1998, pp. 54-63.
N.R.: Artigo; escrito para o evento, nunca foi publicado no Brasil.

"Garota de Ipanema" . *In*: MÉTAILIÉ, Anne Marie (org.). *Quand on aime*. Tradução de Jacques Thiériot. Paris: Métailié, 1999, pp. 171-180.
N.R.: Trata-se do conto "Bruscamente no verão passado"; o novo título saiu sem tradução.

"L'État et la Culture au Brésil" ["O estado e a cultura no Brasil"]. *Iris*. Tradução de Cecile Tricoire. Grenoble: Centre de Recherche sur L'Imaginaire – Université Stendhal – Grenoble 3, n. 27, 2004, pp. 263-272.
N.R.: Artigo inédito no Brasil.

"L'Amazonie et les peuples autochtones" ["A Amazônia e os povos autóctones"] *Telerama* (edição especial). Tradução de Geneviève Leibrich. Paris, abril de 2005, pp. 21-63.
N.R.: Ensaio não editado no Brasil.

Holandês

De keizer van de Amazone [*Galvez, imperador do Acre*]. Tradução de Riet Bonnemayers. Amsterdã: Uitgeverij Bert Bakker, 1982.

De regenwoudman – Chico Mendes em het einde van het Amazone-Gebied [*O empate contra Chico Mendes*]. Tradução de Annerick van Bommel e Carien Schipper. Amsterdã: Amber, 1992.

Inglês

The Emperor of the Amazon [*Galvez, imperador do Acre*]. Tradução de Thomas Colchie. Nova York: Avon Books, 1980.

Mad Maria. Tradução de Thomas Colchie. Nova York: Avon Books, 1985.

The Order of the Day – An unidentified flying opus [*A ordem do dia*]. Tradução de Thomas Colchie. Nova York: Avon Books, 1986.

Death Squeeze [*A condolência*]. Tradução de Ellen Watson. Nova York: Avon Books, 1992.

Lost World II: The End of the Third World [*O fim do Terceiro Mundo*]. Tradução de Lana Santamaria. Nova York: Avon Books, 1993.

Amazonian Expression [*A expressão amazonense*]. *Amazonian Literary Review*. Tradução de Alice R. Clemente. Northampton: Center for Amazonian Literature and Culture – Smith College, n. 1, 1998, pp. 134-146.
N.R.: Trecho.

"God's Handwriting" ["A caligrafia de Deus"]. *Amazonian Literary Review*. Tradução de George R. Shivers. Northampton: Center for Amazonian Literature and Culture – Smith College, n. 2, 1999, pp. 93-132.

Italiano

L'imperatore d'Amazzonia [*Galvez, imperador do Acre*]. Tradução de Cláudio M. Valentinetti. Milão: Arnoldo Mondadori, 1984.

Japonês

Amazon no kotei (*Imperador da Amazônia*) [*Galvez, imperador do Acre*]. Tradução de Keisuke Dan. Tóquio: Kobundo, 1988.

Norueguês

Amazonas i flammer – Mordet pa Chico Mendes og utryddelsen av regnkogene [*O empate contra Chico Mendes*]. Tradução de Martin Indregard. Oslo: J. W. Cappelens, 1990.

Sueco

"Gud s skönskrift" ["A caligrafia de Deus"]. *Folket i Bild*. Tradução de Lars Adrée e Marianne Fox. Estocolmo, outubro de 1989, pp. 16-26.

FORTUNA CRÍTICA

1. Teses, dissertações e monografias

LIMA, Simone de Souza. *A literatura da Amazônia em foco: ficção e história na obra de Márcio Souza* (doutorado em teoria literária). São Paulo, Faculdade de Filosofia, Letras e Ciências Humanas da Universidade de São Paulo, 2000.

LÍMIA, Maria Júlia Cunha. Galvez, imperador do Acre: *uma genealogia do aventureiro* (mestrado em literatura brasileira). Rio de Janeiro, Universidade Estadual do Rio de Janeiro, 1991.

OLIVEIRA, Rita do Perpétuo Socorro Barbosa de. *A polifonia em* Galvez, imperador do Acre: *problematização da tradição oral, da historiografia e da ficção amazônica* (mestrado em letras clássicas e vernáculas). São Paulo, Faculdade de Filosofia, Letras e Ciências Humanas da Universidade de São Paulo, 1995.

SILVA, Branda Maris Scurda. Galvez, imperador do Acre: *resistência e transgressão* (mestrado em letras). Pelotas, Universidade Católica de Pelotas, 1998.

SILVA, Maria Emerich de Quiroga da. *Problematização social em* A caligrafia de Deus (especialização em literatura brasileira). Manaus, Universidade Federal do Amazonas, 2004.

SILVERMAN, Malcolm. *From picaresque to pathetic – The novels of Márcio Souza* (monografia). San Diego, Department of Spanish and Portuguese of San Diego University, 1989.
N.R.: Edição mimeografada.

2. Referências e estudos incluídos em livros

BADEN, Nancy T. *The Muffled Cries – The Writers and Literature in Authoritarian Brazil, 1964-1985.* Lanham: University of America Press, 1984.
N.R.: A obra de Márcio Souza é mencionada em diversas passagens.

BOSI, Alfredo. "Permanência e transformação do regionalismo". *In História concisa da literatura brasileira.* São Paulo: Cultrix, 1994, pp. 478-481.

CABRAL, Tricia. "Cinema rebelde". Manaus: Valer/Governo do Estado do Amazonas, Manaus, 2003, pp. 53-55.

COUTINHO, Afrânio; SOUSA, J. Galante de (orgs.). *Enciclopédia de literatura brasileira, vol. II.* "Souza, Márcio Gonçalves Bentes de". São Paulo: Global, 2001, pp. 1.532-1.533.

ENGRÁCIO, Arthur. "Márcio Souza". *In Poetas e prosadores contemporâneos do Amazonas.* Manaus: Editora da Universidade Federal do Amazonas, 1994, pp. 73-74.

GONDIM, Neide. "*Galvez, imperador do Acre*". *In Simá, Beiradão e Galvez, imperador do Acre.* Manaus: Editora da Universidade Federal do Amazonas, 1996, pp. 123-152.

KRÜGER, Marcos Frederico. "Mitos teatralizados". *In Amazônia: mito e literatura.* Manaus: Valer/Governo do Estado, 2003, pp. 253-286.

LOBO, Narciso. *A tônica da descontinuidade – Cinema e política em Manaus nos anos 60.* Manaus: Editora da Universidade Federal do Amazonas, 1994.
N.R: As referências ao escritor aparecem em vários momentos do livro.

MALIGO, Pedro. *Land of Metaphorical Desires – The Representation of Amazonia in Brazilian Literature.* Nova York: Peter Lang, 1998, pp. 143-150.

MASSAUD, Moisés. "Atualidade [Márcio Souza]". *In História da literatura brasileira, vol. V – Modernismo.* São Paulo: Cultrix/Editora da Universidade de São Paulo, 1989, pp. 521-522.

PEREIRA, Jayme. "*Mad Maria*". *In Prosadores do Amazonas.*

Manaus: União Brasileira de Escritores – Amazonas, 1982, pp. 33-34.

PIMENTEL, Vânia. "*O fim do Terceiro Mundo*: Márcio Souza". *In Narrativas além-real.* Manaus: Valer/Governo do Estado do Amazonas, 2002, pp. 143-156.

PROENÇA FILHO, Domício. "O pós-modernismo". *In Estilos de época na literatura.* São Paulo: Ática, 1994, p. 388.

SÁ, Lúcia. "The Green Stage". *In Rain Forest Literatures – Amazonian Texts and Latin American Cultures.* Minneapolis: University of Minnesota Press, 2004, pp. 221-238.

SCHÜLER, Donald. "O imperador do Acre". *In Teoria do romance.* São Paulo: Ática, 1989, pp. 77-78.

SUÁREZ-ARAÚZ, Nicomedes; CULTLER, Charles. "Márcio Souza". *In Amazonian Literary Review.* Northampton: Center for Amazonian Literature and Culture – Smith College, 1998, pp. 134-146.

3. Artigos em jornais

AMÂNCIO, Moacir. "Maldito. Um livro causa grande confusão em Manaus". *Folha de S.Paulo*, 22.03.77.

AMÂNCIO, Moacir. "O escritor que riu por último". *Folha de S.Paulo*, 19.11.77.

AMÂNCIO, Moacir. "Dois encontros com o autor de *Mad Maria*". *Folha de S.Paulo*, 05.06.81.

BARSETTI, Silvio. "O mundo perdido do capital". *Jornal do Brasil.* Rio de Janeiro, 24.11.90.

BELLVESER, Ricardo. "Márcio Souza, la última narrativa brasileña". *Las Provincias.* Valência, 02.07.81.

BRASIL, Kátia. "Autor elogia respeito ao espírito do livro". *Folha de S.Paulo*, 27.01.05.

C., J.; S., A. [COLI, Jorge; SAEL, Antoine]. "Les deux Amazonie de Márcio Souza et de Ferreira de Castro". *Le Monde.* Paris, 19.08.83.

CARVALHO, Farias de. "Janela de mundo". *A Notícia.* Manaus, 28.04.78.

CAVERSAN, Luiz Carlos. "A realidade que vem do norte". *O Estado de S. Paulo*, 10.01.79.

COSTA, Flávio Moreira da. "A incrível história de Galvez, que (des)governou o Acre". *O Globo.* Rio de Janeiro, 30.04.77.

DEL RIOS, Jefferson. "O novo teatro do Amazonas". *Folha de S.Paulo*, 31.07.74.

DEL RIOS, Jefferson. "Um roteiro cinematográfico". *Leia livros.* São Paulo, março de 1980.

DEL RIOS, Jefferson. "O canto forte de uma geração sem exorcismo". *Folha de S.Paulo*, 16.09.80.

DEL RIOS, Jefferson. "Márcio Souza tira o passado a limpo". *Folha de S.Paulo*, 19.10.80.

DIMAS, Antonio. "E surge um espécime raro na Amazônia: o escritor". *Jornal da Tarde.* São Paulo, 11.06.77.

DIMAS, Antonio. "Márcio Souza escreveu outro grande livro. E não é ficção". *Jornal da Tarde.* São Paulo, 29.04.78.

DIMAS, Antonio. "O realismo, apenas um meio. E aqui Márcio Souza se perde". *Jornal da Tarde.* São Paulo, 25.10.80.

ENGRÁCIO, Arthur. "A expressão inexpressiva". *A Notícia.* Manaus, 30.04.78.

FACIOLI, Valentin. "Amazonas capital Brasil". *Folha de S.Paulo*, 22.04.78.

FARIAS, Elaíze. "Márcio não pretende dar aula de história com novo romance". *A Crítica.* Manaus, 12.07.97.

FERREIRA, Jairo. "Um delicioso folhetim do Amazonas". *Folha de S.Paulo*, 25.11.76.

FILGUEIRAS, Aldísio. "Algo de novo vem de Manaus (Não é borracha)". *O Globo.* Rio de Janeiro, 30.01.77.

FRANCO, Jean. "It's a jungle out

there". *The New York Times*, 19.01.86.

FREITAS, João Batista de. "Em termos de cultura, a Amazônia continua no limbo". *Jornal do Brasil*. Rio de Janeiro, 15.04.78.

GAMA, Rinaldo. "Santos Dumont vira livro e filme". *Folha de S.Paulo*, 08.11.86.

GOMES, Duílio. "Últimos lançamentos de 1976". *Suplemento Literário de Minas Gerais*. Belo Horizonte, 25.12.76.

HJORTSBERG, William. "A brazilian novel and mexican stories". *The New York Times*, 19.10.80.

KAHNS, Cláudio. "*Folias do látex*, um espetáculo amazônico". *Folha de S.Paulo*, 19.01.78.

KOTHE, Flávio R. "Fantasias de um interiorano míope que chegou à metrópole". *Jornal da Tarde*. São Paulo, 22.03.80.

KOTINSKI, Loredana. "Márcio Souza também para a TV amazonense". *A Crítica*. Manaus, 30.01.05.

KUCK, Cláudio. "O escritor diz no Tribunal Russel que salesianos exterminam índios". *O Globo*. Rio de Janeiro, 26.11.80.

LIMA, Leanderson. "Romance *Mad Maria* é mais procurado do que nunca". *A Crítica*. Manaus, 30.01.05.

LORÉS, Carlos Galán. "Una epopeya inútil". *Alerta*. Cantabria, 04.07.91.

LUCAS, Fábio. "Uma volta aos textos simples". *Movimento*. São Paulo, 20.12.76.

LUIZ, Macksen. "O fim do exílio amazônico". *Jornal do Brasil*. Rio de Janeiro, 15.04.78.

LUIZ, Macksen. "Mágica amazônica". *Jornal do Brasil*. Rio de Janeiro, 29.09.79.

LUPPI, Carlos Alberto. "O Brasil denunciado em *Mad Maria*". *Folha de S.Paulo*, 02.08.80.

MARTINS, Wilson. "As artimanhas do vilão". *Jornal do Brasil*. Rio de Janeiro, 01.11.80.

MELO, Dilma de. "Devastadora locomotiva". *Leia livros*. São Paulo, setembro de 1980.

MENESES, Carlos. "El ferrocarril de la inutilidad". *Diario de Valencia*, 26.08.81.

MENEZES, Carlos. "Humor e picardia pintam a Amazônia dos áureos tempos". *O Globo*. Rio de Janeiro, 28.03.77.

MENEZES, Carlos. "Ensaio mordaz sobre realidade sociocultural da Amazônia". *O Globo*. Rio de Janeiro, 31.03.78.

MENEZES, Carlos. "Jornal americano elogia livro de autor brasileiro". *O Globo*. Rio de Janeiro, 20.10.80.

MONTEIRO, Clodomir. "Márcio Souza". *Tribuna da Imprensa*. Rio de Janeiro, 22.10.77.

NOLASCO-FERREIRA, Sonia. "O romance brasileiro entra em triunfo nos EUA". *O Globo*. Rio de Janeiro, 29.10.80.

PEACOCK, Allen H. "Farce from Brazil". *The Plain Dealer*. Cleveland, 07.12.80.

PONTES, Mario. "Uma revolta na Amazônia". *Jornal do Brasil*. Rio de Janeiro, 28.06.97.

SALADO, Ana. "*Mad María*". *Hoja del Lunes de Madrid*, 22.06.81.

SCHÜLER, Donaldo. "*O imperador do Acre*: verdade histórica e ficção". *Suplemento Literário de Minas Gerais*. Belo Horizonte, 26.02.83.

SEM ASSINATURA. "Teatro do Sesc vai encenar Shakespeare". *Jornal do Commercio*. Rio de Janeiro, 27.01.74.

SEM ASSINATURA. "A ingratidão e o plágio". *A Crítica*. Manaus, 01.05.77.

SEM ASSINATURA. "Como um amazonense pode ser brasileiro?". *Diário de S.Paulo*, 12.03.78.

SEM ASSINATURA. "Márcio Souza lança seu livro [*A*] *Expressão amazonense*". *A Crítica*. Manaus, 09.04.78.

SEM ASSINATURA. "Márcio Souza analisado". *A Notícia*. Manaus, 25.04.78.

SEM ASSINATURA. "Márcio Souza: *Operação Silêncio*". *O Popular*. Goiânia, 06.09.80.

SEM ASSINATURA. "Quando Paris era uma festa e voar era preciso". *Zero Hora*. Porto Alegre, 09.01.87.

SEM ASSINATURA. "Márcio Souza lança livro hoje na Valer". *Amazonas em Tempo*. Manaus, 24.03.01.

SEM ASSINATURA. "'Quarta literária'. O discurso narrativo de Márcio Souza na Valer". *A Crítica*. Manaus, 06.11.02.

SEM ASSINATURA. "*Imperador do Acre* vai às HQs". *Folha de S.Paulo*, 09.06.04.

TAPAJÓS, Francine. "Literatura no Amazonas. O enigma pede para ser decifrado". *A Crítica*. Manaus, 10.11.96.

VIEIRA, Cora Rónai. "Um magnífico imperador do Norte". *Correio Braziliense*. Brasília, 09.01.77.

WANDERLEY, César. "Márcio conclui *Desordem* em Manaus". *A Crítica*. Manaus, 21.02.99.

WILER, Vivian. "Márcio Souza. Um amazonense de sucesso troca Manaus pelo Rio". *Jornal do Brasil*. Rio de Janeiro, 16.04.83.

WOOD, Michael. "In the Latino Americano mirror". *The New York Review of Books*. 22.10.81.
N.R.: O artigo analisa *The Emperor of the Amazon* [*Galvez, imperador do Acre*], de Márcio Souza, *Macho Camacho's beat* [*La guaracha del macho Camacho*], do porto-riquenho Luis Rafael Sánchez, *Burnt Water* [*Agua quemada*], do mexicano Carlos Fuentes, e *On Heroes and Tombs* [*Sobre héroes y tumbas*], do argentino Ernesto Sábato.

YATES, Donald A. "Roistering up the river". *The Washington Post*, 05.10.80

ZAGO, Antônio. "O romance de uma verdadeira história". *Tribuna da Imprensa*. Rio de Janeiro, 17.09.77.

ZAGO, Antônio. "Márcio investiu contra a província. Virou best-seller". *Jornal da Tarde*. São Paulo, 19.01.78.

ZAGO, Antônio. "De distantes regiões, a voz literária se levanta". *O Estado de S. Paulo*, 27.08.78.

ZAGO, Antônio. "A comédia de Márcio volta ao teatro". *Jornal da Tarde*. São Paulo, 24.09.79.

ZAGO, Antônio. "Arte, política e sexo após a Primavera de 68". *Folha de S.Paulo*, 13.01.80

ZAGO, Antônio. "Ferrovia do diabo". *Jornal do Brasil*. Rio de Janeiro, 05.07.80.

ZAGO, Antônio. "*Mad Maria*, o romance trágico de uma estrada". *Folha de S.Paulo*, 21.07.80.

ZAGO, Antônio. "Márcio Souza, profissão (única): escritor". *Jornal da Tarde*. São Paulo, 06.06.81.

ZAGO, Antônio. "Márcio Souza faz sucesso na Espanha com *Mad Maria*". *O Globo*. Rio de Janeiro, 07.07.81.

4. Em revistas diversas e periódicos acadêmicos

BEIRÃO, Nirlando. "Ontem e hoje, o folhetim da decadência". *Istoé*. São Paulo, 25.05.77.

BRANDÃO, Ignácio de Loyola. "As festas do escritor brasileiro". *Vogue Brasil*. São Paulo, dezembro de 1976.

CASTELLO, José. "Os artefatos da ficção". *Bravo!*. São Paulo, maio de 2001.

CASTRO, Vander. "Os EUA se curvam ao Imperador do Acre". *Istoé*. São Paulo, 22.10.80.

DIAS, Maurício. "Uma carapuça bem ajustada". *Senhor*. Rio de Janeiro, 11.08.82.

DUCLÓS, Nei. "Manaus no divã". *Senhor*. Rio de Janeiro, 11.08.82.

DUCLÓS, Nei. "O vôo certeiro da palavra". *Senhor*. Rio de Janeiro, 11.11.86.

GONDIM, Neide. "Do paleolítico ao moderno: *Mad Maria*".

Intertextos. Manaus, janeiro-dezembro de 1998.

HATOUM, Milton. "O que fizeram com a Amazônia? A denúncia está aqui". *Istoé*. São Paulo, 22.03.78.

MOISÉS, Carlos Felipe. "*Mad Maria*". *Colóquio Letras*. Lisboa, novembro de 1981.

MOISÉS, Carlos Felipe. "*Crazy* Galvez and *Mad Maria*". *Escrita*. São Paulo, maio de 1982.

... TA, Carlos Guilherme. "Pá- ... do mito". *Veja*. São Paulo, ... 03.78.

... LVORA, Hélio. "Rico folhe- ...r". *Veja*. São Paulo, 02.03.77.

... MA, Angel. "La trace des in- ...ns d'Amazonie dans la littérature brésilienne". *Amérique Latine*. Paris, outubro-novembro de 1982.

SILVEIRA, Francisco Maciel. "Aventuras de um noviço voador". *Visão*. São Paulo, 14.01.87.

SILVERMAN, Malcolm. "Márcio Souza – *A ordem do dia*". *World Literature Today*. Oklahoma, agosto de 1985.

5. Entrevistas

"Nem tudo é Zona Franca". *Movimento*. São Paulo, 24.01.77. Por Fernando Peixoto.

"Uma transa amazônica". *O Pasquim*. Rio de Janeiro, 22-28.04.77. Por Antônio Torres e Jaguar. Republicado em *A Notícia*. Manaus, 22.05.77.

"Na obra de Márcio Souza, a busca picaresca da Amazônia". *O Estado de S. Paulo*, 08.05.77. Por Elson Martins.

"Ator bufão de uma Amazônia teatral". *Jornal do Brasil*. Rio de Janeiro, 26.02.78. Por Macksen Luiz.

"A Amazônia sem folclore". *Veja*. São Paulo, 15.03.78. Por Altair Thury, Fábio Julio e Luiz Arnaldo.

"O desabafo de um amazonense". *O Globo*. Rio de Janeiro, 19.01.79. Por Tânia Pacheco.

"Apocalipse amazonense". *Folha de S.Paulo*, 21.01.79. Por Milton Hatoum.

"Márcio Souza troca o Acre por São Paulo". *Jornal do Brasil*. Rio de Janeiro, 04.08.79. Por Ida Vicenza.

"Márcio Souza e o depoimento de uma geração amordaçada". *Tribuna da Imprensa*. Rio de Janeiro, 03.11.79. Por Ida Vicenza.

"A Amazônia vista por Márcio Souza, que a sente na carne todos os dias". *Estado de Minas*. Belo Horizonte, 29.07.81. Por Juvenal Pereira.

"Imperador do Acre responde por que fugiu do Amazonas". *Folha de S.Paulo*, 08.07.84. Por Vivien Lando.

"Márcio Souza". *34 Letras*. Rio de Janeiro, setembro de 1989, n. 5/6. Por Carlos Irineu W. da Costa e João Guilherme S. Quental; colaboração Sergio Flaksman.

"O paraíso perdido de Márcio Souza". *Leia*. São Paulo, junho de 1990. Por Irene Rezende.

"Márcio Souza – escritor". *Roda viva*, TV Cultura. São Paulo, 04.06.90. Apresentação de Rodolfo Konder. Por Alexandre Machado, Deonísio da Silva, Djalma Limonge Batista, Jefferson Del Rios, Júlio Carlos Duarte, Ricardo Amaral e Rinaldo Gama; caricaturas e cartuns: Paulo Caruso.

"A Manaus decadente de Márcio Souza". *Jornal do Brasil*. Rio de Janeiro, 18.06.94. Por Claudia Giudice.

"O nascimento da superfavela". *O Globo*. Rio de Janeiro, 26.06.94. Por Luciano Trigo.

"Márcio Souza relata fracasso do Grão-Pará". *O Estado de S. Paulo*, 26.06.97. Por José Castello.

"Márcio Souza – Escritor e presidente da Fundação Nacional de Arte". *Roda viva*, TV Cultura. São Paulo, 28.07.97. Apresentação de Matinas Suzuki Jr. Por Deonísio da Silva, Inácio Araujo, Ivan Ângelo, Priscila Neto, Rinaldo Gama e Rosângela Petta.

MONTAGENS TEATRAIS*

A paixão de Ajuricaba, 1974.**

Dessana, Dessana (escrito com Aldísio Filgueiras), 1975.**

Jurupari, a guerra dos sexos, 1975.**

A maravilhosa história do sapo Tarô-Bequê. Com o grupo do Tesc. Direção: Stanley Whibbe. Aldeia do Arcozelo, Paty do Alferes (RJ), 1975.

*As folias do látex.*** Teatro Amazonas, Manaus, 1976.

O pequeno teatro da felicidade, 1977.**

Contatos amazônicos de terceiro grau, 1978.**

Tem piranha no pirarucu, 1978.**

O elogio da preguiça. Com o grupo do Tesc. Direção: Gerson Albano. Teatro do Tesc, 1980.

A resistível ascensão do Boto Tucuxi. Com o grupo do Tesc. Direção: Márcio Aurélio. Teatro Amazonas, Manaus, 1982.

Ação entre amigos. Direção: Paulo Betti. Com Luis Carlos Arutin, Jacqueline Laurence, Vinicius Salvatore, Antonio Grassi, Eliane Giardini e Andréa Beltrão. Teatro Ipanema, Rio de Janeiro, 1987.

*Sábados detonados*** (com outros autores), 2004.

Marx na zona [Marx in Soho].** De Howard Zinn. Tradução: Márcio Souza, 2004.

Hamlet.** De William Shakespeare. Adaptação e tradução: Márcio Souza, 2004.

ADAPTAÇÕES

Para história em quadrinhos

Galvez, imperador do Acre. Roteiro: Domingos Demasi. Ilustrações: Miguel Imbiriba e Andrei Miralha (assistente). Belém: Secretaria Executiva de Cultura, 2004.

Teatro

Galvez, imperador do Acre. Texto: Luiz Carlos Góes. Direção: Vera Seta, que também integrou o elenco, ao lado de Miguel Falabella, Betina Viany, Bisa Viana, Luis Pompeu, Telma Reston e outros. Teatro Dulcina, Rio de Janeiro, 1992.

Galvez, imperador do Acre. Texto e direção: Márcio Aurélio. Com o grupo Les Commediens Tropicales (de Campinas, São Paulo). Teatro do Sesc, Curitiba, 2005.

Televisão

Mad Maria. Minissérie baseada no romance homônimo. Texto: Benedito Ruy Barbosa. Direção: Ricardo Waddington. Com Ana Paula Arósio, Fábio Assunção e Juca de Oliveira, entre outros. Rede Globo, 2005.

INTERNET

www.marciosouza.com.br (site oficial)

FONTES

Coleção Márcio Souza – Museu Amazônico/Universidade Federal do Amazonas; Acervo Rita do Perpétuo Socorro Barbosa de Oliveira (Manaus); Arquivo do Instituto Moreira Salles, Banco de Dados da *Folha de S.Paulo*, Dedoc – Departamento de Documentação da Editora Abril (SP).

(*) Os dados referem-se às primeiras encenações dos textos; (**) Espetáculos estreados pelo Tesc de Manaus, em seu próprio teatro ou não – nesse caso, indica-se o local –, sob a direção de Márcio Souza.

Felipe José Lindoso, Ignácio de Loyola Brandão, Ivan Ângelo, Liráucio Girardi Jr., Welington Andrade, Wladyr Nader (São Paulo); Gilberto Chaves, Jussara Derenji, Maria Silvia Nunes (Belém); Jinya Yamaguchi, José Eduardo Pereira de Andrade, Ventzislav Anguelov Ivanov (Brasília); Alfredo Souto Loureiro, Chloé Souto Loureiro, Márcio Braz (Manaus); Affonso Romano de Sant'Anna, Antônio Torres, Edilson Martins (Rio de Janeiro); Anibal Diniz, Mario Sérgio Longin de Oliveira (Rio Branco); Cristiano Mascaro (Carapicuíba-SP); José Augusto Lindgren Alves (Sófia).

NOTA DA REDAÇÃO

Identificação dos locais retratados na seção "Geografia pessoal" – AM: rio Negro (páginas 46 e 47), Manaus (54-56, 58 [embaixo], 59, 61, 62, 64, 65, 67 [embaixo], 76, 79 [embaixo]); AC: ribeirão do Rôla, afluente do rio Acre (48-51, 53, 78, 79 [no alto]); AP: rio Iratapurú (52); PA: Belém (57, 58 [no alto], 60, 63, 66, 67 [no alto], 68-75, 77); RO: estrada de ferro Madeira-Mamoré (78-81).

Edu Simões/IMS

INSTITUTO MOREIRA SALLES

Sede

Av. Paulista, 1.294, 14º andar, Bela Vista CEP: 01310-915 São Paulo-SP
Tel.: (0 XX 11) 3371-4455 Fax: (0 XX 11) 3371-4497 E-mail: ims@ims.com.br

Centros culturais

Rio de Janeiro
Rua Marquês de São Vicente, 476
Gávea CEP: 22451-040
Tel.: (0 XX 21) 3284-7400 Fax: (0 XX 21) 2239-5559

São Paulo
Rua Piauí, 844, 1º andar
Higienópolis CEP: 01241-000
Tel.: (0 XX 11) 3825-2560 Fax: (0 XX 11) 3661.0984

Belo Horizonte
Av. Afonso Pena, 737
Centro CEP: 30130-002
Tel.: (0 XX 31) 3213-7900 Fax: (0 XX 31) 3213-7906

Poços de Caldas (MG)
Rua Teresópolis, 90
Jardim dos Estados CEP: 37701-058
Tel./fax: (0 XX 35) 3722-2776

Galerias IMS

Rio de Janeiro
Unibanco Arteplex
Praia de Botafogo, 316, lojas D e E
Tel.: (0 xx 21) 2559-8750

São Paulo
Unibanco Arteplex – Frei Caneca Shopping
& Convention Center
Rua Frei Caneca, 569, 3º piso.
Tel.: (0 xx 11) 3255-8816

Porto Alegre
Unibanco Arteplex – Shopping Bourbon Country
Av. Túlio de Rose, 80, 2º piso
Tel.: (0 xx 51) 3341-9685

Curitiba
Unibanco Arteplex – Crystal Plaza Shopping
Rua Comendador Araújo, 731
Tel.: (0 xx 41) 223-2527

Reserva técnica fotográfica e Reserva técnica musical

Rua Marquês de São Vicente, 476, Gávea CEP: 22451-040 Rio de Janeiro RJ
Tel.: (0 XX 21) 3284-7400

Internet/Rádio IMS
http://www.ims.com.br

CADERNOS DE LITERATURA BRASILEIRA

À venda nas principais livrarias do país, nos espaços culturais e no site do Instituto Moreira Salles e em Portugal

Número 1 – *João Cabral de Melo Neto* (mar. 96)
Número 2 – *Raduan Nassar* (set. 96)
Número 3 – *Jorge Amado* (mar. 97)
Número 4 – *Rachel de Queiroz* (set. 97)
Número 5 – *Lygia Fagundes Telles* (mar. 98)
Número 6 – *Ferreira Gullar* (set. 98)
Número 7 – *João Ubaldo Ribeiro* (mar. 99)
Número 8 – *Hilda Hilst* (out. 99)
Número 9 – *Adélia Prado* (jun. 00)
Número 10 – *Ariano Suassuna* (nov. 00)
Número 11 – *Ignácio de Loyola Brandão* (jun. 01)
Número 12 – *Carlos Heitor Cony* (dez. 01)
Números 13 e 14 – *Euclides da Cunha* (dez. 02)
Número 15 – *Millôr Fernandes* (jul. 03)
Número 16 – *Erico Verissimo* (nov. 03)
Números 17 e 18 – *Clarice Lispector* (dez. 04)
Número 19 – *Márcio Souza* (dez. 05)

Jornalista responsável:
Antonio Fernando De Franceschi (MTb: 9.093).

ESTA OBRA FOI COMPOSTA PELA
BEĨ • COMUNICAÇÃO EM GARAMOND E
GILL SANS COM FOTOLITOS E IMPRESSÃO
NA IPSIS GRÁFICA E EDITORA
PARA O INSTITUTO MOREIRA SALLES
EM NOVEMBRO DE 2005.